U0141121

漢湘文化

閱讀新視界・生活新主張

漢湘文化
閱讀新視界・生活新主張

漢湘文化
閱讀新視界・生活新主張

漢湘文化

閱讀新視界．生活新主張

歷史經典三　唐浩明　著

曾國藩血祭

卷（三）

出版者序

「曾國藩」一書分血祭、野焚、黑雨三卷，是一部百餘萬字的長篇歷史小說。作者唐浩明先生研究清史十餘年，蒐集的資料堆滿家中書房，對曾國藩及太平天國歷史的考究尤爲深刻。作者以輕鬆的筆調，用小說的方式撰寫此書，內容符合史實，其中人物的刻畫與描寫，生動而傳神，充分發揮了作者的文學才華與史學功力。

此書以曾國藩爲主軸，寫他治軍行事的用人方針，也寫他的處世哲學與人生觀，以清末衆多的歷史人物如朝中大臣——如胡林翼、左宗棠、李鴻章……等爲軸，交織此一長篇鉅著，書中情節的發展，絲絲入扣，能吸引讀者不斷產生興趣，愛不釋卷。

曾國藩是影響清末歷史的一位重要人物，他創造湘軍，以捍衞孔孟名敎爲號召，弭平洪揚。其立身行事，爲後代諸多知名人氏所推崇。但作者也藉書中人物表達了歷年來人們的另一種觀點：曾國藩平定太平天國後，囿於忠君敬上，保全已身之小節，自剪羽翼，裁撤二十萬湘軍，無視滿清腐敗、生靈塗炭、救國救民之大義，辜負億萬百姓期望驅除羶腥，恢復神州之熱望，徒讓史冊留下一樁憾事。當然，對歷史的評價，有見仁見智之看法，端視讀者從何種角度去研判！或許當讀者閱覽此書時，對書中之主角會有不同之評論。

此書在大陸出版時，曾造成搶購熱潮，本公司取得台灣版權後，以繁體字印行，也引起熱烈回響。今再版出書，又經細校，期望達到無錯字的地步，或仍有疏漏，尚祈讀者不吝指正。

胡明威

目錄

〈卷一〉

第一章　奔喪遇險

第二章　長沙激戰

〈卷二〉

第七章　攻下武昌

一　青麟哭訴武昌失守

青麟一進巡撫衙門，就要向駱秉章、曾國藩等人行旗人大禮，慌得駱秉章連聲說：「墨卿兄，這使不得，快坐下來，談談武昌戰事。」

「青麟有罪，武昌失落了。」青麟一開口，就流下了眼淚。他是正白旗人，翰林出身，去年由戶部左侍郎差委湖北學政，今年已調任禮部右侍郎，人卻仍在湖北。二月，湖北巡撫崇綸因母喪解職，在德安守城有功的青麟，被咸豐帝任命爲巡撫。因戰事緊急，崇綸亦未離城，以協助軍務的身分留在武昌。荊州將軍台涌被任命爲湖廣總督，代替戰死堵城的吳文鎔。青麟的到來，已經說明了武昌被太平軍攻下的事實，所以他的這句話並沒有引起駱秉章、曾國藩等人的震驚。青麟語聲哽咽地繼續說：

「青麟辜負皇上聖恩，罪不可赦，但武夷之失湖北戰局慘敗，完全是崇綸，台涌等人造成。小人秉政，貽誤國事，再沒有比這更可恨的了。」

青麟痛苦得說不下去了。曾國藩叫親兵端來一盆水，又叫送來一碗香茶，讓他先擦擦臉再喝點茶，並安慰他說：「墨卿兄，湘勇三路人馬已動身前往湖北，湖北戰事的轉機已到，你先寬下心來。吳文節公殉國前，曾有信給我。信中飽含寃屈，然又未明言。國藩正爲恩師之死而痛心，你慢慢講淸楚，我要向皇上稟告。」

青麟得到了鼓舞。他正愁滿腹苦衷無法上達朝廷，於是將一肚子委屈都倒了出來：「吳文節公本不會死的，完全是崇綸排擠的結果。崇綸不學無術，心胸狹窄，憑著祖上的軍功和鑽營投機的伎倆，才爬上巡撫的高位。但他還不滿足。自從程橘采制軍革職後，他便在朝中四處活動。謀取湖廣總督一職。所圖不成，故記恨中傷張石卿制軍。田家鎭一役，有意拖延兩天，貽誤戰機，張制軍兵敗，他又添油加醋告惡狀，遂使張制軍降調山東。」

左宗棠氣憤地說：「據說張制軍離鄂之時，三千得軍功的兵士摘去頂戴夾道跪送，爲張制軍鳴不平。」

「是的。」青麟接著說，「崇綸原以爲把張石卿擠走後，會穩坐湖廣總督寶座，誰知接任的不是他，而是吳甄甫制軍。吳中堂一來，他就視之爲眼中釘，一日三次催吳制軍出兵。吳制軍擬穩守武昌，伺機出擊。崇綸就上奏朝廷，譏諷吳制軍怯陣。朝廷不明眞相，嚴令吳制軍離武昌赴前線。」

曾國藩說：「甄甫師來信說受小人所害，原來如此。」

青麟說：「吳制軍出兵後，崇綸借道路阻塞爲由，一不發糧草，二不發援兵，活活地把吳制軍推到絕路。」

「崇綸這般缺德，天理國法不容！」想起吳文鎔當年的厚恩及死前信中所流露的悲哀，曾國藩對崇綸恨之入骨。

「天公有眼，崇綸因母喪而離職，但他並不離開武昌，仍然暗中控制文武員屬。我因吳文節公死事之慘，說了他幾句，他便遷怒於我，指使下屬不聽號令。長毛圍城三個多月，城內文武卻各懷異志。諸君替我想想，這武昌如何能守？」

衆人嘆息。

「署總督台涌也畏敵如虎，不發一兵來武昌增援。糧盡援絕，軍中怨聲載道。十五日夜裏，當長毛猛攻武勝門時，崇綸卻領著親兵，化裝成百姓出城逃命去了。十六日清晨，總兵李文廣衝進我的房子，喊道：「中丞，眼下城裏只剩下一千飢疲之兵，再不出城，便要全軍覆沒了。」我說「我身爲巡撫，城在人在，城破人亡，豈可捨城出逃！」李總兵哭著說：「中丞，崇綸世受國恩，卻臨危倉皇逃命，台涌握有重兵，卻一兵不發。中丞你死守武昌三個月，與士卒一起喝菜湯，上城樓，卻落得如此下場。朝廷忠奸不分，賢愚不辨，令人氣沮。中丞縱然不爲自己著想，也要爲百戰倖存的一千弟兄們著想。他們都是忠於朝廷的硬漢。」說著說著，他便跪下，拉著我的衣袖叩頭說：「中丞，我請求你爲國保存這一千忠良吧！」我被李總兵說得五心無主。突然一陣炮響，文昌門被攻破，長毛湧進武昌。李總兵拉著我上馬，從望山門出了城，一路向南奔來。」

青麟說到這裏，低下頭來，顯出一副又羞又愧的神情。這時，劉蓉在旁向曾國藩使了個眼色，隨即離席。曾國藩對青麟拱拱手說：「墨卿兄穩坐，我出去更衣即來。」

二　湖北巡撫做了彭玉麟的俘虜

曾國藩出門後，悄聲問劉蓉：「孟容有何見教？」

劉蓉說：「克復武昌，就在青麟身上。」

「此話怎講？」

劉蓉附在曾國藩耳邊，說出一條計策來。曾國藩笑著說：「人稱你爲小亮，果眞名不虛傳。」

說著，二人一先一後回到廳裏。曾國藩皺著眉頭對青麟說：「墨卿兄的處境，實在令人同情。不過，」他的神情變得嚴峻起來，「省城丟失，不管出於何種原因，巡撫罪當斬首。」

青麟臉色慘白，冷汗直流，抖抖地說：「我亦知皇上不會饒過，還望諸君為我將實情奏報，即使皇上不能網開一面留下青麟殘軀，但能為國家保存這一千忠良之士，我死亦值得了。」

說完，重重地嘆了一口長氣，兩眼無神地看著眼前的茶碗。

曾國藩說：「有一個辦法，或許可使墨卿兄將功補過，換取皇上的寬恕。」

「滌生兄有何高見？」就像一個即將斃命的落水者看到上游飄來了木頭，青麟眼中閃出希望的光芒。

目前湘勇已分三路北進，即日將達武昌，倘若墨卿兄為湘勇光復武昌出力，則前過可補。只是頗有一點危險，不知老兄願為否？」

曾國藩摸著胸前的鬍鬚，兩隻三角眼盯著青麟那張典型的尖細泛白的旗人臉，似乎在審視著他的膽量。曾國藩出自對吳文鎔的憐憫，固然同情青麟的處境，但實際上是瞧不起這個怕死鬼的。

「青麟已犯死罪，何險可懼？滌生兄，你只管說。」青麟說的是實話。

「我有一個主意，也不知可用不可用，說出來，尚請駱中丞和季高兄潤芝兄指點。我想以三百精幹湘勇，作老百姓打扮，裝成半路上捉住墨卿兄的樣子，然後把墨卿兄送到武昌長毛頭領那裏，以此博得長毛的信任，埋伏在武昌城裏作內應。到時裏應外合，收復武昌就容易多了。」

「此計甚好。」左宗棠：「只是要有幾個膽大心細會辦事的人去幹，要打入賊窩裏去。據說打武昌的長毛頭，就是不久前進犯我湖南的那個人，湘潭收復後，他匆忙帶兵返回湖北，攻陷了武昌。」

胡林翼說：「此人是長毛僞翼王石達開的胞兄石祥禎。派去的人，要善於臨機應變，弄些乖巧法子出來，把此人拉下水。」

駱秉章也說：「這個主意可行。季高說得對，要選幾個靠得住的人。」

青麟想：把我送回武昌交給長毛，萬一長毛先把我處死，怎麼辦呢？但這層意思他不敢說出，只得硬著頭皮說：「一切憑滌生兄安排！」

一隊穿著各色衣服的百姓，在通往武昌的大道上疾行，他們正是曾國藩派出的化了裝的三百湘勇。爲首的是水師統領彭玉麟，副手是康福和鮑超。鮑超是個粗魯漢子，曾國藩挑選他，是因爲看重他高超的武術，危難之際，他一人可頂十人用。

這天正午，在紙坊客店裏吃罷中飯後，彭玉麟對青麟說：「中丞，請你老委屈一下，戲要開場了。」

青麟懂得他的意思，說：「你動手吧！」

幾個湘勇上前，用一根粗蔴繩將青麟的上身捆得嚴嚴實實，押著他，向武昌城走去。

酉初時分，彭玉麟一行來到武昌望山門。為防奸細混入，武昌各門把守嚴密。巡視望山門城防的是周國賢，他和康祿一樣，也已升為師帥了。康福眼尖，一眼看到站在城樓上的，竟是野人山上的仇人，忙把帽檐拉下，並鑽進人堆裏。周國賢威嚴地發問：「城下是何人在喧鬧？」

彭玉麟走上前，靠著城牆根，以一口純正的安徽話答應：「將軍，我等本是武昌城裏的良民。前幾天被青麟裹脅出城，半途間我們殺了青麟的親兵，把青麟抓了起來，現送給將軍發落。」

周國賢問：「你既然是武昌人，為何口音不對？」

彭玉麟對此早有準備。在路上時，彭玉麟就想到，長毛最擔心的是湖南派湘勇救援武昌，這一隊人從南邊來，如果講衡州的話，就會引起他們的懷疑，既然不會講武昌話，不如講安徽話，消除他們對湘勇的戒備。彭玉麟不慌不忙地說：「在下本是安徽人，十年前來到武昌城裏開茶莊，口舌拙，學不來湖北話，只會講家鄉土話。」

周國賢聽彭玉麟講得有道理，不再查問了，高聲說：「你們把青麟推出來！」

彭玉麟把五花大綁的青麟推到前面，城樓上有認得青麟的，告訴國賢，捆綁的正是前湖北巡撫。國賢不再懷疑，打開城門，放彭玉麟一行進了城，並要彭玉麟押著青麟去見石祥禎。彭玉麟對三百化了裝的湘勇說：「各位都回自己家去吧！」

湘勇便按路上所商量好的，三三兩兩地散開去。康福戴著一副大墨晶眼鏡走到彭玉麟身邊。彭玉麟指著康福、鮑超對國賢介紹說：「這二位都是敝莊的伙計，康大、鮑四、擒拿青麟，主要靠鮑四的功夫。在下名叫彭忠。」

國賢將他們帶到設在原巡撫衙門的西征軍湖北總部。石祥禎十分高興地接待他們，親熱地說：「難得三位壯士對天國一片忠心，擒拿妖頭。」

彭玉麟說：「青麟禍國殃民，罪大惡極，人人痛恨。敝茶莊的一點積蓄亦被清兵搶去。在下與兩位伙計被裹脅的那天，就打算在路上擒拿他們，只是一路無下手機會。走到蒲圻時，青麟的護兵大部分逃散，只剩下百把人。我見機會已到，便暗中串通難民在半夜起事。難得鮑四好武藝，康大亦一旁協助，殺死幾十名衞兵，把青麟活捉了。」

石祥禎端詳著鮑超、康福，連聲說「好漢，好漢」，並吩咐親兵拿出五百兩銀子來。彭玉麟忙站起推辭：「將軍，我等捉拿青麟，並不是爲了賞銀，實是爲民除害，爲敝莊雪恨，若是賞銀子，倒是看輕了我們。」

石祥禎是個豪爽的人，見彭玉麟這樣說，愈加喜歡：「好漢不要銀子，就算了吧！既然茶莊破產，若是願意的話，和我們一起滅清妖，打江山吧！我看三位均非等閒人，天國正需要你們這樣的好漢。」

彭玉麟一聽，正中下懷，忙又離座答道：「蒙將軍垂愛，彭忠等願隨將軍馬後！」

石祥禎大喜，命令親兵將青麟帶上來。

青麟被押了上來。他瞧見彭玉麟等均是座上之客，心裏放心。他不慌不忙地走著，站在石祥禎面前，並不下跪。石祥禎憤怒地喝道：

「狗官跪下。」

青麟仍不動。親兵上來，一腳掃過去，青麟立刻仆倒在地，想起好漢不吃眼前虧的俗話，只得勉强跪著。

「狗官，報名上來！」石祥禎虎目怒睜，吼聲如雷。青麟聽了嚇一大跳，好一陣才平息下來，低聲回答：「丙申科進士前翰林院侍講學士，現任禮部右侍郎，差委湖北學政，湖北巡撫青麟。」

「媽的，死到臨頭了還要神氣，什麼侍郎、巡撫，統統都是妖孽，都要斬盡殺絕！」青麟跪在地上，不敢回嘴。石祥禎又問，「狗官，你知罪嗎？」

青麟抬起頭，望一眼彭玉麟。彭玉麟向他丟了一個眼色。青麟像喝了一口參湯似的，精神振作起來，說：「本撫院無罪。」

「妖頭，你還嘴硬！這些日子，武昌百姓訴苦伸冤的接連不斷，待我數幾樁給你聽聽，看你有罪無罪。妖頭，你仔細聽著：自從去年正月，我天國將士撤離武漢三鎮，向小天堂進軍時，你們蜂擁進城，瘋狂倒算，殺害與我天國有往來的無辜百姓三萬餘人。這是不是罪？這一年半來，你們在這裏對百姓肆意掠奪，橫徵暴斂，數萬百姓家破人亡，四處逃荒。這是不是罪？你手下的官吏敲詐勒索、貪汚中飽，你的幾千兵卒明火執杖，搶竊財物，殺人越貨，强奸婦女，無惡不作。這是不是罪？說！」

石祥禎重重地拍了一下桌子，一個茶碗被震得跳下來，摔得粉碎，盡管有彭玉麟等人坐在上面，青麟還是嚇得心驚肉跳。略爲平靜後，他爲了不在彭玉麟面前失去面子，强作鎮靜地回答：「剛才所說的，有的不是罪，有的言過其實，即使所說皆實，也是本撫院前任的事，非本撫院所爲。」

石祥禎大怒：「我不管是你幹的，還是你的前任幹的，總之都是你們這些妖頭狗官的所作所爲。吳文鎔已被我天國處死，崇綸逃走了，一旦抓獲，決不會讓他活著。天理昭彰。三位好漢把你抓來了，我今天豈能容你！」

石祥禎猛地站起來，大聲命令：「把狗官推出，給我砍了！」

青麟一聽，嚇得癱倒在地，暈死過去。彭玉麟也沒料到這一著，他慌忙起身，對石祥禎一拱手：「將軍暫息雷霆之怒。青麟之罪，十惡不赦。不過，依在下看來不如暫且關他幾天。聽說曾國藩就要率湘勇前來攻武昌，待活捉曾國藩、塔齊布等人後，再召集武漢三鎮父老公審他們，豈不是一件大快人心的好事。」

石祥禎說：「彭兄說得有理，就讓他再苟活幾天吧！押下去」親兵過來，像拖一條死狗似的，把青麟拖了下去。

三　薛濤巷的妓女蠶兒真心愛上造反的長毛頭領

五天後，從中路進軍的塔、羅七千人馬一路順利地來到武昌城下，從水路進軍的楊載福、李孟羣一萬水師，在城陵磯遭到曾天養的阻擊，陳輝龍、褚汝航被擊斃。楊載福收拾部隊，乘曾天養得勝放鬆警惕的空隙，夜襲太平軍，殺了曾天養。水師突破洞庭湖。此後，便順流東下，沒有遇到大的阻力。東路胡林翼、李元度率領的三千人馬，軍行迅速，駐紮崇陽，通城一帶的太平軍沒有料到這一著，幾仗下來吃了虧，便丟下城池糧草，向武昌靠攏。胡林翼一路戰果最大：收復通城、崇陽兩城，得糧食二十萬石，馬草無數，先行向朝廷報捷。十天後，這三支隊伍便會師武昌城下。水師在北，中路在南，東路在東，對武昌城形成一個三路包圍的局面。湘勇和太平軍展開激烈的爭鬥，雙方互有勝負。由於從崇、通兩城繳獲了大批糧草，湘勇軍心穩定，而太平軍在得到這個消息後，內部出現恐慌。

幾天後，曾國藩派彭毓橘潛入武昌城。經過幾番周折，這天深夜，彭毓橘突然出現在彭玉麟等人的住房——巡撫衙門旁邊建築考究的劉家宅院裏。彭玉麟見到彭毓橘，又驚又喜，二人互通了情況。彭毓橘說：「湘勇老營就設在洪山腳下，曾大人急切想了解城裏的情況。」

彭玉麟說：「石逆等人雖然對我們很熱情，但我們無法打入他的內層，機密尚且不知。」

彭毓橘說：「曾大人希望你們像孫猴子那樣，鑽進鐵扇公主的肚子裏去，等待時機，先搗毀他們的巢穴，然後奪取兩道城門，裏應外合，拿下武昌。」

彭玉麟等人和彭毓橘商量大半夜，約定每隔三天彭毓橘來一次，交換城裏城外的情況，遇有特殊事情，則隨時通報。

過兩天，康福對彭玉麟說：「我這幾天到城裏各處逛了逛，見司門口貼了一張取締妓女的告示。正看著，人羣中一個四五十歲的婦人，唾了一口痰在告示上，邊走邊罵：『該死的長毛，斷了老娘的生意。』」

「那一定是個開妓院的鴇母。」鮑超插話。他對這些事最有興趣。

「被你說對了，確是個鴇母。」康福看了鮑超一眼，繼續對彭玉麟說：「我跟在她後面，看她進了一條巷子。巷子口釘著一塊木牌，上寫『薛濤巷』三字。」

「這就是鴇母的住處了。」彭玉麟說。

「爲什麼薛濤巷就是妓院呢？」鮑超奇怪地問。

「這你就不懂了，打完仗後跟我讀幾年書吧！」康福笑著說。

鮑超不服氣地說：「這要讀啥子書。我想你們以前一定都在武昌城裏嫖過妓女，所以記得這條巷子名，這會子倒又來耍弄我。」

「放屁！」康福不再理睬鮑超，對彭玉麟說：「我想找個妓女送一個人。」

「送給誰？」彭玉麟好奇地問。

「長毛頭領石祥禎不過二十多歲，這樣一條猛虎般强壯的漢子，身邊沒有一個女子，他如何打熬得過。」

鮑超又笑著插話了：「康福巴結石逆可算到家了，我也是條猛虎般的漢子，怎麼沒想到送個妓女給我呢？」

「送給你有什麼用？我這是范蠡送西施之計。」

彭玉麟說：「這種美人計歷代都有，但我向來鄙視，實非正人君子所爲。」

鮑超對此大不以爲然，說：「雪琴大哥，像你這樣迂腐，還辦什麼大事！管他卑鄙不卑鄙，只要對我們有好處就幹。我看此計要得，但要那野鷄死心塌地爲我們做事才好，若是他們一夜夫妻百日恩，把我們賣了，到頭來是偷鷄不著蝕把米，逗人笑話。」

康福說：「鮑大哥說了半天話，只有這兩句才是正經的。不過你放心，鴇母和妓女愛的是錢，送她們千把兩銀子，再告訴大兵壓境的利害，諒她不會賣我們。」

彭玉麟說：「爲了打武昌，就違心行一次美人計吧！聽說長毛紀律很嚴，男女不能混雜，除開僞天王和東、北、翼諸僞王可以妻妾成羣外，就是夫妻都不能同房，違者殺頭。石逆怎麼可以公開娶一個女子呢？此事還要從長計議。」

康福低頭沉思片刻，想出一個主意來。

第二天傍晚，彭玉麟來到西征軍總部，對石祥禎說：「石將軍，彭某今日備薄酒一杯，請將軍賞光。」

石祥禎問：「今天是什麼日子，你請我的客？」

「今日是在下賤誕，借將軍虎威增色。」

「好，我向足下恭賀。」石祥禎爽朗地笑著說。

說著便和彭玉麟出了大門，來到劉家宅院。

這裏已備下一桌豐盛的酒席，康福、鮑超穿戴一新。康福見只有石祥禎一人來，便不戴眼鏡。四人敘禮畢，坐下飲酒。大家談談笑笑，十分歡悅。過一會兒，彭玉麟喊道：「蠶兒，出來給石將軍斟酒。」

話音剛落，從裏屋走出一個人來。石祥禎見來人雖是男子打扮，但極爲纖小，走起路來，裊裊婷婷，腰枝擺弄，就像一個女人。再看那人臉上，細眉秀目，嘴如櫻桃，愈看愈不對勁。蠶兒見石祥禎目不轉睛地看著自己，便徑直朝他走來，嫣然一笑，兩只眼睛水波粼粼地望著石祥禎，似乎含著千種柔情，萬般蜜意，把個石祥禎弄得心猿意馬。斟完酒後，彭玉麟說：「蠶兒，給石將軍唱個曲子吧！」

蠶兒回到裏屋，抱出一個琵琶來，大大方方地坐在酒席邊，將弦輕攏慢拔，清清喉嚨，唱出一曲小晏的《臨江仙》：

夢後樓台高鎖，酒醒帘幕低垂。去年春恨卻來時，落花人獨立，微雨燕雙飛。記得小蘋初見，兩重心字羅衣。琵琶弦上說相思。當時明月在，曾照彩雲歸。

歌聲清亮婉轉，繞樑不絕。石祥禎出生二十八年來，從來沒有聽過這樣美而雅的歌曲，他完全被蠶兒的人和歌聲所陶醉。鮑超嚷道：「蠶兒，方才那個曲子好聽是好聽，就是不大好懂。石將軍是刀槍堆裏的英雄，諒他也不愛聽這種文縐縐的曲子，你就來一首俗一點吧！石將軍，你說呢？」

「好，好！」石祥禎一雙眼睛一直盯在蠶兒的臉上，隨便地答應著，只聽見蠶兒又唱開了：

傻酸角，我的哥，合塊黃泥兒捏咱兩個。捏一個你，捏一個我。捏的來一似活托。捏的來同床歇臥。將泥兒摔碎，著水兒重合過。再捏一個你，再捏一個我。哥哥身上也有妹妹，妹妹身上也有哥哥。

「唱得好，眞過癮！」鮑超樂得手舞足蹈。蠶兒唱完這曲「哥哥妹妹」後，石祥禎終於恍然大悟了，他笑著對彭玉麟說「彭兄，蠶兒是個姑娘吧！」

彭玉麟頷首微笑：「將軍慧眼，到底看出來了。蠶兒是賤內的滿妹，今年十八歲。外舅因無男孩，蠶兒生下後，便一直作男兒打扮。長大後，蠶兒倒習慣作男裝，不愛女兒粉黛了。」

石祥禎哈哈大笑：「有趣，有趣！我看還是女兒爲裝好，蠶兒擦粉抹脂後會更漂亮的。」

彭玉麟對蠶兒說：「既然石將軍喜歡，你就回房去換衣服吧！」

待到蠶兒換了衣服出來，石祥禎覺得眼前驀然一亮。但見她描畫著兩條細長新月眉，精心敷著淺淺的眼影，潔白的兩頰抹上薄薄的胭脂，小小的嘴唇上塗著紅艷如火的口紅。頭上插著一支鑲嵌八寶珠花，耳上掛著珍珠吊環。身著大紅綉花緊身袍，下配翡翠撒花縐裙。渾身上下珠光寶氣，光彩照人。石祥禎這個血氣方剛的漢子，第一次見到如此佳麗，不覺呆呆地凝望，如醉如痴。

康福對著彭玉麟微笑，好像說：「怎麼樣？魚兒上鉤了吧！」

「石將軍。」玉麟一聲輕呼把醉迷的石祥禎喚醒，「請喝酒。」

石祥禎意識到自己失態，很不好意兒地賠笑：「彭壯士請！」

「石將軍。」彭玉麟又親熱地叫了一聲，「蠶兒是外舅外姑掌上明珠，今年雖已到了十八歲，卻並未字人。鬟兒自小心性甚高，非英雄不嫁。今天我看她如此順從將軍之意，脫下男子裝，換上女兒服，一定是看上了將軍。鬟兒與將軍，倒眞是天生一對，地造一雙。彭某斗膽問一句，將軍可否願與彭某結下這樁姻緣？」

鬟兒聽了這話，羞得滿臉通紅，轉身進了屋裏。燈光下，石祥禎見鬟兒這麼一紅臉，眞如一朵嬌滴滴的盛開芍藥，那一縷魂魄早已隨著她去了。聽到彭玉麟這句話，他大喜過望：「我今年二十八歲，並未婚娶，令姨國色天香。宛如仙女。哎，」說到這裏，石祥禎突然嘆了一口氣：「只是我石祥禎沒有這個豔福呀！」

彭玉麟故作驚訝地問：「將軍何故出此言？」

石祥禎洩氣地說：「彭兄，你或許不知道，我天國嚴別男女，男歸男營，女歸女營，男女不得結合。我身爲一軍統帥，豈能帶頭違反禁令。」

彭玉麟一本正經地說：「將軍，請恕彭某妄言，天國事事都好，就是這條紀律，大大地不合人情。古人說，夫妻之際，人道之大倫也。若男女不結合，豈有我人羣生衍繁育？且天國在這件事上亦不公平，天王、東王、北王及令弟翼王可以王娘成羣，而兄弟們卻連個妻子都不能娶，這能服人心、慰衆望嗎？石將軍，你一個七尺男兒，勇冠三軍，難道還不能堂堂正正地娶一個女人嗎？我看此事大可不必顧慮。」

「國法不容情呀！」石祥禎苦笑，說完緊閉雙眼，陷於極度的痛苦之中。康福對彭玉麟說：「彭兄，蠶兒不是愛著男裝嗎，就讓她穿著男子的衣服侍候石將軍，豈不兩全其美！」

彭玉麟笑道：「還是我這個伙計有辦法，就這樣吧。我今夜就送給將軍一個隨從小斯。」

石祥禎開心地大笑，當夜便帶著這個身著男裝的蠶兒回府了。

石祥禎每天忙著指揮打仗，白天幾乎沒有功夫跟蠶兒說一句話。身著男裝的蠶兒，也沒有引起西征軍總部其他人注意。但相處七八天後，薛濤巷的妓女卻處在一種極爲矛盾的心情中了。那天，蠶兒從康福手裏接過三百兩白花花的銀子。康福要她與石祥禎虛與委蛇十天半月，偷取他的軍事機密，隨時稟報。湘勇攻下武昌後，一定贖她離開薛濤巷，回到天門老家去。蠶兒是個苦命的孩子。七歲時就死去了父親，母親帶著他和九歲的哥哥艱難度日。十三歲那年，哥哥身染重病，奄奄待斃。爲了救兒子，也爲了給女兒尋一條出路，母親狠了狠心，把蠶兒賣給一個來招戲子的中年婦人。誰知中年婦人並不是唱戲的，而是武昌城裏的鴇母。十六歲那年，鴇母便逼著蠶兒接客。蠶兒在淚水中過了一年多，直到近半年來，才慢慢安了心。她自認命苦，再哭也是空的，只望積蓄點錢，今後自己贖身再嫁人從良。太平軍取締妓院，打破了她的夢，她對太平軍沒有好感。康福送給她三百兩銀子，並許諾幫她逃出火坑回老家，她感激不盡，願爲他效力。這幾天來，蠶兒越來越感覺到，自己身邊這個造反的長毛頭領，卻是一個頂天立地的男子漢。蠶兒兩年來接的客不下百個。那些名爲男人的人，要麼是花花公子、膏粱子弟，要麼是糟老頭子，混帳流氓，沒有一個是眞正的男人。但這個石祥禎不同，他英俊威武，堂堂一表，身體中有一股旺烈的陽剛勁氣；他豪放豁達，氣魄恢宏，城外數萬大軍包圍，他視之如無物。他對自己體貼愛護，把自己作爲心上人，不是玩物：「這是天地間一個名副其實的男子漢」蠶兒常常這樣自言自語。蠶兒的少女情愫第一次萌發，她從心裏愛上了這個造反謀亂的頭目。特別是每天深夜睡覺前，蠶兒倚窗看石祥禎在草坪上舞劍。星月下，寒光閃閃，身影矯健。那一副英豪瀟灑的情景，直把蠶兒看得呆呆的。英雄，這才是眞正的英雄！蠶兒覺得自己在石祥禎面前既渺小又卑下，她眞的願意這一輩子跟著他，眞心實意地侍奉他。但他又是一個遭極刑，滅九族的反叛頭啊！蠶兒想到這裏，便害怕得要命。康福說，外面有幾萬官兵包圍了，隨時都會打進來，長毛一個都走不脫。哎，算了吧！石祥禎再好，也不能眞正嫁給他，只要今後出了火坑，憑著自己的長相，一定可以找個老實敦厚的漢子，平平安安過日子，雖苦也强過擔驚受怕。想到這裏，蠶兒換上一件太平軍兩司馬的衣帽。還著男人的步伐，出了總部大門，來到旁邊的劉家宅院。

「彭大人，有一件頂重要的機密。」蠶兒第一次幹這樣的大事，心跳得很厲害，臉漲得通紅，神情緊張。

彭玉麟倒了一杯茶過來：「不要急，慢慢說。」

「今天一大早，我正在給石祥禎打掃房間，聽他在隔壁跟另一個長毛頭領談打仗的事。我只聽見他們說翼王的援兵已從江西出發，四天後便會來到武昌城下。他們很高興地說，翼王的兵一到，城裏城外夾攻，一舉殲滅湖南來的人馬。」

彭玉麟暗自一驚，問：「你聽他們說援兵有多少？」

「有四五萬。」

「他們還說了些什麼？」

「後來他們便一起到外面吃飯去了，我也不好跟著，也不知道他們再說些什麼。」蠶兒急著說：「我要走了，待得久了，怕他找不到我生疑心。」

「你回去吧！」彭玉麟拿出十兩銀子來給蠶兒：「你方才的話很重要。這幾天你只要聽到打仗的事，便要來告訴我們。」

待蠶兒出門，彭玉麟對康、鮑說：「蠶兒講的這個情況很重要，估計曾大人尚不知道。武昌城一定要在石達開的援兵來到之前攻破。否則，我們便處於腹背受敵的逆境，就很危險了。」

康福說：「我這就出城，向曾大人稟報，今天閉城門前一定趕回來。」

聽完康福的稟報後，曾國藩感到事態很嚴重。三路人馬圍武昌，已經有二十來天了。武昌城大，二萬人馬根本就不能把城圍死，城內的太平軍依舊可以從外面獲取糧草。湘勇攻了幾次城，都被太平軍打退。曠日持久，已使曾國藩苦惱，如今他們的援兵將到，湘勇全都集中在這裏，這一仗若再打敗，那就徹底完了。爲籌謀攻下武昌之策，曾國藩一夜不寐，時而躺在床上，時而披衣徘徊，拿不出一個好主意來。

第二天上午，曾國藩仍在思考攻城之策，彭毓橘進來報告：「大人，門外有個讀書人求見。」

盡管此時曾國藩很討厭有人打斷他的思路，但聽說求見的是讀書人，還是傳令接見。

來人約摸五十餘歲，一副老塾師打扮。曾國藩想早點結束這次不太合宜的會見，便以溫和的態度開門見山地問：「老先生見鄙人有何事？」

這人回答也直截了當：「特向大人獻攻武昌之計。」

曾國藩喜出望外，忙問：「老先生有何妙計？」

「大人屯兵武昌城外已二十餘天，在下一直很注意大人與長毛之間的勝負。以這二十來天的情形看，若不採取奇策，武昌可能難以攻下。大人兵少，又從湖南遠道而來，糧餉供應不易，宜速戰而不能拖延。且長毛在長江下游尚有幾十萬人馬，倘若發兵來救，則大人處境危矣。」

曾國藩微微點頭說：「老先生言之有理。」

「大人，前年年底，長毛來攻武昌，那還是常中丞、雙提督在守城，長毛開頭幾天攻不下，後來挖了幾個地道，每個地道裏塞了幾百斤炸藥，這才把城牆轟倒的。以後地道又被塡平，人們也就慢慢忘記了。在下卻記得，長毛挖了十多處地道，還有一半多沒有炸開，若把這些地道口找出來，把以前的炸藥淸出，再堆放加倍的好炸藥，不愁武昌城牆不倒。」

曾國藩問：「時隔一年多了，那些地道口還找得到嗎？」

「找得到。在下當初一一記下它們的位置，莫說只有一年多，就是十年後都找得到。」

世界上居然也有這樣的有心人。曾國藩正感欣慰，又突然想起靖港上當的敎訓，他不敢輕易相信這個陌生人，甚至懷疑這個塾師可能是太平軍派出的奸細。曾國藩換了一種使人心寒的犀利目光，把眼前的老塾師注視良久，然後慢慢地說：「老先生，我軍駐紮洪山二十來天，並沒有一個人對我談起地道之事。你為何前年就記得那樣仔細，供今天攻城之用。老先生難道有未卜先知之本事？」

塾師見曾國藩不信任他，心中甚不自在，說：「大人，在下並無未卜先知的本事，當初記下的目的，只是為了記下長毛的罪行。長毛到處燒毀學宮，辱罵先聖，妄圖以上帝耶穌來代替孔孟程朱，在下對這批亂世之賊恨之入骨。自思不能操刀殺賊，卻可以秉筆直書，將他們的罪惡昭示天下，告訴後代子孫。長毛挖地道之事，也就被在下記了下來。大人若不相信我，我現在就走。」

曾國藩見他說得有道理，立刻笑道：「老先生不必生氣，兩軍對壘之際，鄙人不得不小心。今夜就煩老先生帶領我們去找地道口。」

當夜，塾師帶著曾國藩找到五六處未炸開的地道。證明所說不誤。曾國藩拿出五十兩銀子酬謝，塾師推辭幾次，也便收下了。

天亮前，彭毓橘再次潛入劉家宅院，約定二十二日半夜，內外夾攻，希望彭玉麟等人從太平軍總部殺出，如能殺掉石祥禎，則立下大功。

四　康福揮刀砍殺之際，一眼看見了弟弟康祿

二十二日傍晚，當蠶兒從康福手裏接過毒藥時，她的手抖抖地，渾身發軟，一回到屋裏，便癱倒在椅子上，半天起不來。康福吩咐的話一直在腦中盤旋：「今天夜裏，在石祥禎就寢前，將毒藥放在茶碗裏，無論如何要勸他喝下這碗茶。毒藥要半個鐘點後才發作，趁這個機會逃出總部，躲進劉家宅院。」石祥禎馬上就要回來了，蠶兒還沒有最後下定決心。既是一個造反的長毛頭領，又是一個頂天立地的男子漢，對他，她又怕又愛。到武昌城破時悄悄離開他，這點，蠶兒咬咬牙可以做到，但要親手放毒藥去毒死他，她怎麼能下得了手呢？聽到石祥禎進屋的腳步聲，蠶兒一跺腳，狠下心將毒藥放進茶壺裏。正在這時，石祥禎拉門進來了。

石祥禎今夜很高興。他看到因過度緊張而滿臉泛紅的蠶兒，覺得她比往日更美。他摸了摸蠶兒的臉，熱得燙手，再摸摸額頭，更燙。石祥禎驚奇地問：「你病了。」

蠶兒下意識地搖搖頭。

「你臉上和額頭都燙得厲害。」

蠶兒情急生智：「我剛才喝了一口酒。」

石祥禎深情地望著她：「蠶兒，你眞美。這幾天委屈你了，也沒有好好地跟你說幾句話。你是個討人喜愛的女子。」

蠶兒奇怪，今夜怎麼這麼多話？她怯怯地說：「將軍，你今天很高興。」

石祥禎笑道：「你說對了，蠶兒。我的弟弟翼王率領五萬援軍後天就要來到武昌，我們內外夾擊，馬上就會將曾國藩活捉。到那時，我們在閱馬廣開公審大會，將青麟、曾國藩押上台，讓老百姓訴苦申冤，揚眉吐氣，你姐夫的茶莊也可復業了。」

「眞的?!」蠶兒現出驚喜的樣子。

「眞的。蠶兒，把湘南來的人馬打敗，殺了曾國藩後，我要親自到天王那兒去稟報，請天王實踐他自己上次撤離武昌時，對全體兄弟姐妹們所許下的諾言。」

「天王當時許下什麼諾言？」蠶兒問。

「天王當時說，進了小天堂，成了家的夫妻團聚，沒有成家的，男婚女嫁。」

「那後來又爲什麼沒有這樣做呢？」

「也不知天王是怎麼想的，怪不得兄弟們都有怨言。我要爲你，爲我，也爲天國所有的兄弟姐妹面奏天王。蠶兒，」祥禎摸著蠶兒的手說，「到那時我要你脫下男人的衣服，換上最美麗的鳳冠霞披，我和你拜天地天父天兄，做一世恩愛夫妻，白頭到老。」

石祥禎的這幾句話，像一罐蜜糖似的灌進蠶兒的心裏，她感到一種從未有過的巨大幸福，如果眞的能跟眼前這位英雄白頭到老，也不枉此一生。但他是造反的逆賊，他們的造反能成功嗎？

「將軍，別人說你們成不了大事，今後要滿門抄斬的。」、

石祥禎哈哈一笑：「你聽誰說的？我們天王已在天京登基，我們水陸大軍有百萬之多，半個中國已是我天國的了。北征軍馬上就要打到北京，活捉咸豐妖頭，清妖就要澈底滅亡了。蠶兒，你就等著做一品夫人吧！」

蠶兒被石祥禎說得滿心高興，她也覺得，在這樣的英雄面前，應該沒有敵手。石祥禎又說：「蠶兒，去年我在天門收下了一批兄弟。」

「將軍到過天門？」一聽到說起自己日夜思念的家鄉，蠶兒立刻想起了母親和哥哥。

「我去年在天門駐兵一個月，殺了天門的狗官，開倉放糧。那一天，一位中年婦女牽著一個十八九歲的小伙子來到我的身邊，對我說：「老總，你們眞是好人啊。沒有你們，我們娘兒倆早就餓死了。我兒子要投軍，老總，你收下他吧！跟著你們我放心。」婦人又轉過臉對兒子說：

「小三子，你今後若有機會到武昌，千萬要打聽到妹妹的下落，見不到你妹妹，我死不瞑目呀！」

蠶兒驀地一驚，哥哥的小名不正是叫小三子嗎？她急忙問：「將軍，小三子的大名叫什麼？」

「叫王金來。我今天正碰到他，問他妹子尋到沒有，他搖了搖頭。」

蠶兒完全明白了。自己的母親和哥哥都還健在，她感謝太平軍的大恩大德。而今，哥哥已參加了太平軍，自己卻要爲官府來謀害恩人和親人。蠶兒彷彿大夢初醒，她暗自慶幸，還沒有鑄下大錯，一切都還來得及補救。石祥禎走到茶壺邊，倒出一碗茶，蠶兒驚叫一聲：「將軍！」正在這時，門被打開，彭玉麟、康福、鮑超進來了。石祥禎笑問：「三位壯士，爲何深夜來訪？」

說罷又舉起茶碗要喝，蠶兒撲過去，大叫：「碗裏有毒！」同時抽出一隻手將茶碗打落在地。石祥禎被眼前的情景弄糊塗了。蠶兒指著彭玉麟等人對石祥禎說：「他們是官府的人。」

石祥禎一聽，猛地抽出刀。鮑超氣得大罵蠶兒：「你這個賤人！老子宰了你。」

邊說，一把刀已向蠶兒頭上砍來，石祥禎用手擋住。這時國賢兄弟聞訊衝進來，一眼認出了康福，恨得牙齒咬得吱吱響，破口大罵：「你這個千刀萬剮的賤奴才，老子今天要將你碎屍萬段！」

西征軍總部立時變成了血肉橫飛的戰場。太平軍層層逼過來，將彭玉麟、鮑超、康福三人圍在當中，三人也不甘示弱，揮刀迎戰，太平軍雖多，一時卻也近不了身。鮑超掄起大刀，抖擻著精神，一人對付二三十人，毫無懼色。殺得興起，他猛然吼叫起來，順手操起身邊的案桌，朝人堆裏打去，幾個太平軍兵士被砸得頭破血流，鮑超趁機手起刀落，砍倒了幾個。彭玉麟見屋裏門外人越來越多，知久戰下去必然吃虧，邊戰邊對康福、鮑超說：「不要硬拚，準備從窗口衝出去！」

正在這時，驚天動地的炮聲接連響起，石祥禎、周國賢等人一愣，彭玉麟等人趁這一瞬間跳上窗頭，衝出屋外。三人脚剛落地，康祿帶著十來名兵士從旁邊繞了出來。康福對彭玉麟說：「你們快走，我在這裏斷後！」

彭玉麟想到還有帶領三百湘勇攻破城門的大任務，便對康福說：「我和鮑超先走了，你略抵擋一陣就走，趕到文昌門。」

康福點點頭，束緊腰帶，大吼一聲，揮刀衝過去，正要砍殺，一眼看見康祿，大吃一驚。與此同時，康祿也發現眼前這位官府中的人就是自己的胞兄，也大出意外。康福不忍心弟弟死在湘勇手下，更不願兄弟刀槍相見，相互殘殺，高聲對弟弟說：「兄弟，武昌城就要破了，你趕快逃出去，逃出去！」說罷，刀虛晃一下，騰空跳上屋頂，踩著瓦片一溜烟跑了。

五　一律剜目凌遲

彭玉麟、鮑超指揮三百湘勇從城內殺出，打開了文昌門，湘勇潮水般從文昌門衝進城來。這些最先衝進城的湘勇，一個個像發了瘋似地亂砍亂殺，城內秩序大亂。其他城外湘勇，則從炸開的缺口中蜂擁而入。他們見人就殺，見房就燒，見金銀就搶。火光衝天，哭聲動地。武昌城被湘勇攻下了。

天還沒亮，當城內烽火瀰漫，各處巷戰還在進行的時候，曾國藩便帶著郭嵩燾、劉蓉、陳士杰等一班幕僚，在王鑫老湘營一百勇丁的保護下，乘馬由望山門進了城。看到湖廣第一大名城已由自己收復，曾國藩心裏有著說不出的激動。他轉過臉，笑著對劉蓉說：「孟容，此情此景，使我想起你早年的佳句。」

劉蓉也笑道：「此情此景，也使我想起你早年的佳句。」

曾國藩念道：「明年半勾森畫戟，秋風萬里入悲笳。何當一鼓幽燕氣，縛取天驕祀莫邪。這詩簡直就爲今夜而作。」

劉蓉也念道：「國家聲靈薄萬里，豈有大輅阻孱螳。立收烏合成齏粉，早晚紅旗報未央。」

二人在黑夜中相視大笑。郭嵩燾在一旁不服氣地說：「你們都有舊作應了今日的情景，唯獨我沒有。」

「別人都說郭大人有七步之才。你沒有舊作，吟一首新詩也好嘛！」曾國藩笑著慫恿。

「好哇，我就作一首給你們看看。」一陣輕哼細吟之後，郭嵩燾高聲念道：「江畔狼烟起中宵，頻年民氣半枯凋。文人也有雄豪夢，夢駕長鯨控海潮。各位說如何？」

「好哇，眞是好詩！」曾國藩用鞭子輕輕敲著馬背，由衷地讚嘆。

走在後邊的王鑫，見他們幾個吟詩，心裏早就癢癢地了，聽曾國藩稱讚郭嵩燾，終於忍不住叫起來：「你們稱讚郭翰林的七步之才，就看不起我這個未中舉的王鑫。」

劉蓉說：「你未中舉，我也未中舉，誰看不起你了。你不作聲，哪個知道你有無此雅興。」

王鑫爲人最好强，他見郭嵩燾七步成詩，也說：「看我也來個七步成詩。」

只聽見馬蹄踏踏響中，王鑫也念道：「浩劫名城將息兵，書生今夜建功名。十年寒窗堪回味……」

念到這裏忽然卡住了。郭嵩燾喊：「已經十多步了！」

陳士杰也催道：「快結尾呀！」

王鑫沉思一下，不慌不忙地提高聲調：「不負深宵對短檠。」

衆人一齊說：「結得好！」

曾國藩喜道：「還是璞山這首後來居上，今天詩社的鰲頭讓他占了。」

大家正在得意時，彭毓橘在一旁突然大叫：「當心冷箭！」

曾國藩趕緊把頭低下，只聽見腦頂一陣風過去，帽子已掉到馬屁股後，他嚇得出了一身冷汗，憤怒地命令：「彭毓橘，帶人把這棟房子圍起來！」

彭毓橘和王鑫將一百湘勇分成兩組，從右左兩旁包抄射出冷箭的那棟房子。經過一場激烈搏鬥，除戰死者外，守在這棟房子裏的十多名太平軍士兵全部被湘勇捉住了。曾國藩等人進了附近一家茶館。茶館主人早已嚇跑，留下空蕩蕩幾間房子。彭毓橘和王鑫將這十多名太平軍押了進來，曾國藩餘怒未消，凶惡地問：「剛是哪個射的冷箭，有膽量的，在本部堂面前站出來！」

隊伍裏一人應聲答道：「是你爺爺射的，怎麼樣？只可惜射高了點，再矮一寸，你早就魂歸西天了。」

曾國藩盯著這人。很驚訝這個矮矮小小的單薄漢子，竟然有這樣大的膽量，一點都沒有將他這個攻克名城的湘勇統帥放在眼裏。曾國藩心裏沮喪，突然吼道：「你這個倒行逆施的賊匪，死到臨頭，還如此放肆！你可知只要我一句話，你腦袋就要搬家呢？」

那漢子大笑道：「你爺爺魏逵如果怕死，早就躲起來逃走了。你不必嚕嗦，要殺要剮，隨你的便。」

曾國藩一聽「魏逵」二字，心裏想：「這人就是串子會的大龍頭，那個被人說成是青面獠牙的土匪嗎？」

他走近魏逵身邊，仔細再看一看，除滿臉倔强外，清清秀秀的五官中沒有一絲匪氣。他奇怪地問：「你就是串子會的魏逵？」

魏逵圓睜雙眼，對著曾國藩臉吐了一口唾沫，罵道：「曾剃頭，你這個沒有人性的畜牲，好端端的林秀才被你害死。老子今日若有刀在手，恨不得剝了你的皮！」

曾國藩勃然大怒，叫道：「統統拉出去，挖眼剖腹，凌遲處死！」

曾國藩想起那次受羅大綱訓斥的恥辱，想起岳州出逃的狼狽，尤其是誤中奸計，靖港慘敗、投水自殺的醜態，心裏頓時燒起萬丈怒火，他以不可遏制的憤怒對彭毓橋下令：

「立即向全城傳達我的命令，凡膽敢抵抗的長毛，抓到後，不分男女老少，一律剜目凌遲！」

六　來了個滿人兵部郎中

攻下武昌的當天下午，楊載福指揮水師又一舉克復漢陽城。曾國藩的報捷奏摺，以日行六百里的速度向京師飛送。不久，上諭下達，嘉獎同日攻克武昌、漢陽之功，並任曾國藩為署理湖北巡撫。曾國藩沒有想到，早在武昌將克未克之時，荊州將軍官文已派人和署湖廣總督楊霈取得聯繫，先行向咸豐帝報捷。楊霈因此由署理改為實授。曾國藩事後知道，心裏很不好受。但畢竟有個一省最高長官的職務了，今後籌餉調糧調人，都可以由自己專斷，不需仰人鼻息，這是值得寬慰的事。但想到尚在守制期中，如果不作點推讓，難免招致物議。他給皇上上了一道謝恩摺：

武漢克復，有提臣塔奇布之忠備，有羅澤南、胡林翼、楊載福之勇鷙，有彭玉麟、康福之謀略，故能將士用命，迅克堅城，微臣實無勞績。予奉命署理湖北巡撫，則於公事毫無所益，而於私心萬難自安。臣母喪未除，葬事未安，若遠就官職，則外得罪於名教，內見譏於宗族。微臣兩年練勇、造船之舉，似專為一己希榮徼功之地，亦將何以自立乎！

後面再奏，洪楊雖已受挫，然長江下游兵力强盛，未可輕視，擬將湖北肅清，後方鞏固後，再水陸並進，直搗金陵。

剛拜摺畢，親兵報，衙門外有官員來拜見。曾國藩正與親兵說話間，來人已昂首進了衙門，說：「曾大人，下官奉朝命來大人衙門報到。」

說著遞上一個手本。曾國藩看那上面寫著：德音杭布，鑲黃旗人，由盛兵京部郎中任上調往曾國藩大營效力等等。曾國藩看了這道手本，心裏大吃一驚。暗思這樣一個人物，朝廷何以差他到我這兒來，我又如何位置他呢？他在看手本的同時，以兩眼餘光將來人打量了一下。只見那人三十五六歲年紀，豐腴白淨，是個極會保養的人。曾國藩滿臉堆笑地打招呼：「請坐、請坐。貴部郎光臨，不勝榮幸。此處池小塘淺，難容黃河龍鯉。請問貴部郎台甫大號。」

「下官賤字振邦，小號泉石。」

「部郎懷振興邦國之抱負，又有優游林泉之胸襟，實爲難得。」

「大人過於推許了。」德音杭布得意地笑起來。「大人一舉收復武昌、漢陽兩大名城，爲國家建此不世功勛，下官十分欽敬。朝廷派下官來，雖說是襄助軍務，但下官認爲，這不啻一個學習的好機會，故欣然前來，望得到大人朝夕教誨。」

「部郎爲朝廷鎭守留郡，功莫大焉。湘勇得部郎指教，軍年技藝將會與日俱進。國藩今後亦有良師，匡誤糾謬，少出差錯，無論於國於己，部郎此來，賜福多矣。」

「大人客氣。請問武昌城內局面如何？」

「近日已漸趨安靜，各項善後事宜正在順利進行。只是常有小股長毛隱藏在街頭巷尾，不時向我軍偷襲。部郎若不在意，過兩天，我陪部郎到城內各處走走。」

德音杭布聽說城內尚不安定心中有幾分害怕，便說：「好，過幾天再去吧！這兩天我想與各位同寅隨便晤談，借此熟悉情況。」

曾國藩心想：看來這角色不安好心，得多提防才是。略停片刻，曾國藩換了一個話題：「部郎過去到過武昌嗎？」

「下官過去一直在京中供職，前幾年調到盛京，除開京城到留都這段路外，其他各處都沒去過。久聞武昌名勝甚多，只是無緣一覽。」

「這下好了，待戰事平息後，學生親陪部郎去登龜蛇二山，憑吊陳友諒墓、孔明燈，看看古琴台、歸元寺。」

德音杭布大喜：「是啊，晴川歷歷漢陽樹，芳草萋萋鸚鵡洲。武昌自古便是九省通衢之地，好看的地方多啦。只是不敢勞動大人陪同，待下官一人慢慢尋訪。」

「部郎高雅，學問優長，實爲難得。」

「慚愧，要說讀書作詩文，下官只可謂平平而已。只是平生有一大愛好，便是收藏字畫碑板，可惜戰火紛亂，旅途不靖，不曾帶來，異日到了京師，再請大人觀賞。」

曾國藩想起自己竹箱裏正藏著一幅字，便笑著說：「國藩亦好此類東西，只是沒有力量廣爲收集。現身旁只有一幅山谷眞迹，不知部郎有興趣一看否？」

德音杭布立即興奮起來，說：「下官能在此地看到山谷眞迹，眞是幸事。」

曾國藩本想要王荊七去臥室取來，突然想起郭子儀當年洞開居室，讓朝廷使者自由進出的故事，便說：「部郎若不嫌國藩臥室齷齪，便一同進去如何？」

「大人起居間，下官怎好隨便進去。」

「部郎乃天潢貴胄，若肯光臨，眞使陋室生輝。」

德音杭布雖是滿人，但與愛新覺羅氏並無血緣關係，聽此出格之頌，他樂得心花怒放，連忙說：「難得大人如此破格款待，下官眞是受寵若驚了。」

曾國藩領著德音杭布進了臥室。門一打開，簡直令德音杭布不敢相信，這便是前禮部侍郎、現二萬湘勇統帥的居室！只見屋內除一張床、一張書案、兩條木凳、三只大竹箱外，再無別物。床上蚊帳陳舊黑黃，低矮窄小，僅可容身。床上只鋪著一張半舊草席，草席上疊著一床藍底印花棉被。被上放著一件打了三四個補釘的天青哈拉呢馬甲。屋裏唯一飾物，便是牆上掛的當年唐鑒所贈「不作聖賢，便爲禽獸」的條幅。德音杭布自幼出入官紳王侯之門，所見的哪一家不是紙醉金迷，滿堂光輝！雖是戰爭之中，但原巡撫衙門裏一應器具都在，盡可搬來，也不須如此寒傖。早在京城，就聽說過曾國藩生性節儉的話，果然名不虛傳。德音杭布感慨地說：「大人自奉也太儉樸了。」

曾國藩不以爲然地說：「學生出身寒素，多年節儉成習，況軍旅之中，更不能鋪張。」說著自己打開竹箱。德音杭布見竹箱裏黑黃黑黃的，又笑著說：「大人這只竹箱眞是地道的湖南物品，在北方可是見不到。」

「在我們湖南，家家都用這種竹箱盛東西，既便宜又耐用。不怕部郎見笑，這幾只竹箱，還是先祖星岡公手上製的，距今有四十餘年了。」

德音杭布心中又是一嘆。竹箱裏半邊擺著一疊舊衣服，半邊放著些書紙雜物，並無一件珍奇可玩的東西。曾國藩慢慢搬開書，從箱底拿出一個油紙包好的卷筒來。打開油紙，是一幅裝裱好的字畫。德音杭布看上面寫的是一首七絕：「滿川風雨獨憑欄，綰絕湘娥十二鬟。可惜不當湖水面，銀山堆裏看青山。」詩後面有一行小字：「崇寧元年春山谷雨中登岳陽樓望君山。」德音杭布眼睛一亮，說：「這的確是山谷老人的眞迹，這兩個「山」字寫得有多傳神，正是山谷晚年妙筆。實在是難得的珍品。這幅字，大人從何處得來？」

「那年我偶游琉璃廠，從一個流落京師的外省人手裏購得。那人自稱是山谷後裔，因貧病不得已出賣祖上遺物。」

「花了多少銀子？」

「他開口一百兩。我哪裏拿得出這多，但我那時正迷戀山谷書法，便和他討價還價，最後忍痛以六十兩買來了。」

「便宜，便宜！要是現在，二百兩也買不到。」

德音杭布拿起字畫，對著窗櫥細看，心中捉摸著如何要過來才好。過了一會，德音杭布說：「大人，我在京師聽朋友們說，大人寫得一手好柳體字。」

曾國藩微笑著說：「哪裏算得好，不過我早年的確有心摹過柳誠懸的字，後來轉向黃山谷，近來又頗喜李北海了。結果是一種字也沒寫好。學生生性浮躁，成不了事。」

德音杭布恭維說：「這正是大人的高明處。老杜說轉益多師是吾師，集各家之長，乃能自成一體。改日有暇，下官還想請大人賜字一幅，好使蓬蓽增輝。」

「部郎過獎，部郎看得起，學生自當向部郎請教。」

「下官最好趙文敏的書法。聽人說，趙氏集古今南北之大成。下官愚陋，不識兩派之分究竟在何處，敢請大人指教。」

曾國藩弄不清德音杭布究竟是眞的不懂，還是有意考問自己，稍爲思索一下，說：「所謂南派北派者，大抵指其神而言。趙文敏的確集古今之大成。於唐初四家內，師虞永興而參以鍾紹京，以此上窺二王，下法山谷，此一徑也。於中唐師李北海，而參以顏魯公、徐季海之沉著，此一徑也；於晚唐師蘇靈芝，此又一徑。由虞永興以溯二王及晋六朝諸賢，此即世所謂南派。由李北海以溯歐、褚及魏、北齊諸賢，世所謂北派。以余之愚見，南派以神韻勝，北派以魄力勝。宋四家，蘇、黃近於南派；米、蔡近於北派。趙孟頫欲合二派為一。部郎喜趙文敏，看來部郎書法，既有南派之神韻，又有北派之魄力了。」

德音杭布心裏甚是高興，說：「大人過獎了。下官不過初學字，哪裏就談得上兼南北派之長。不過，今日聽大人之言，以神韻和魄力來作為南北書派作分野，眞是大啓茅塞。大人學問，下官萬不及一也。常聽人說，張得天、何義門、劉石庵為國朝書法大家，不知大人如何看待？」

曾國藩說：「凡大家名家之作，必有一種面貌一種神態，與他人迥不相同。譬如羲、獻、歐、虞、顏、柳，一點一畫，其面貌既截然不同，其神氣亦全無似處。本朝張天得、何義門雖號稱書家，而未能盡變古人之貌。至於劉石庵，則貌異神亦異，竊以為本朝書法之大家，只劉石庵配得上。」

德音杭布見曾國藩說得興致很濃，知火候已到，遂又拿起桌上的山谷字迹，看來看去，以一種愛不釋手的神態說：「下官家中藏著幾幅蘇軾、米芾、蔡京的眞迹，只有山谷的字，一幅也沒覓到。」

曾國藩明白他的用意，立即接話：「這幅字就送給大人吧！」

「大人珍藏多年的東西，下官怎能奪愛。」

曾國藩心裏冷笑，嘴裏卻很誠懇地說：「蘇、黃、米、蔡，在部郎處是三缺一，在學生處是一缺三，自來少的歸多的，這有什麼話說！何況古玩字畫，究竟比不得金銀珠寶。在識者眼中有連城之價，在不識者眼中無異廢物。部郎熱心收藏字畫，眞乃高雅之士。山谷這幅字畫存于部郎家，也甚相宜。再說兵火無情，萬一我這竹箱被燒被丟，連累了這幅字，豈不可惜。」

說罷，親手將這幅字卷好送給德音杭布。德音杭布頗爲感動地說：「大人厚賜，下官卻之不恭，來日方便，下官便托人送到京師，定爲山谷老人妥藏這一珍品。」

這天深夜，三樂書屋裏，曾國藩和劉蓉在悄悄說話。曾國藩說：「一個堂堂滿郎中，不在盛京享福，卻要跑到我這兒受苦，豈不怪哉。」

劉蓉沉默良久，說：「此人怕不是來贊襄軍務的，我看是來監視湘勇的。」

曾國藩點點頭，說：「我也有這種懷疑，所以今天給他灌了不少迷湯。」

「此人德性如何？」

「是個標準的八旗子弟：心眼多，擺闊，貪財，好享受，無眞才實學。」

曾國藩又把送黃庭堅字的事說了一遍。劉蓉說：「可惜。一件稀世之物落入俗人手裏，山谷有知，九泉當爲之下淚。」

曾國藩笑道：「那是一件贋品。」

「此話怎講？」劉蓉驚問。

曾國藩說：「這幅字是我的一個學生送給我的，他說是他的朋友臨摹的，其人有亂眞之技。這幅山谷字臨摹之妙，令我嘆爲觀止，便一直帶在身邊，想不到今日做了一分厚禮。」

劉蓉樂道：「你的學生有這樣的朋友，以後也給我臨摹一幅。」

曾國藩笑了笑，未作答復。過一會，又說：「我原本想過幾天自己陪他到各處去看看，後來又覺得不妥。這種人，自以爲出身高貴，長期側身於顯赫之中，本來就目空一切，倘若眞的奉有密令，更加不可一世。我如陪他，他會以爲我巴結他，尾巴更會翹到天上去。我有意壓壓他的氣焰，暫涼幾天。你去陪陪他，也借此觀察一下，套套他的話，以便心中有數。」

劉蓉說：「這話不錯，但這種人也得罪不得。他不是鮑起豹、淸德那樣的人。我看，過幾天還得給他派個僕人，好好服侍他。」

說完，曾國藩詭譎地一笑。曾國藩明白劉蓉的意思，拍拍他的肩膀，說：「還是小亮想得周到，明天就給他派一個可靠的僕人。」

七　明知青麟將要走向刑場，曾國藩卻滿面笑容地說：我將為兄台置酒餞行

曾國藩一面委派塔齊布、李元度在城內搜捕殘留的太平軍，整頓三鎮秩序；一面派胡林翼、羅澤南帶勇到孝感、天門、沔陽一帶圍剿駐紮在那裏的西征軍，以便安定湖北，並起拱衞武漢的作用。他計劃把湖北穩定之後，再出師江寧。

謝恩摺拜發後的第十天中午，親兵報「摺差到」。曾國藩好生奇怪：這會子又有什麼諭旨呢？對謝恩摺的批復，再快也得過三四天才到武昌。曾國藩跪在香案前，聆聽上諭：

曾國藩著賞給兵部侍郎銜，辦理軍務，毋庸署理湖北巡撫。陶恩培著補授湖北巡撫，未到任之前，湖北巡撫著楊霈兼署。曾國藩、塔齊布立即整師東下，不得延誤。

曾國藩簡直不敢相信，這就是任命署理湖北巡撫後十天的第二道上諭！他謝恩後，快快回到臥室，百思不解。倘若是皇上在接到辭謝奏摺後再下達這道上諭，也還可以說得過去。上次辭署撫摺是九月十三日拜發的，兵部火票上清楚說明九月十二日內閣奉上諭。這分明不是聖衷對辭謝的接受，而是對前命的否定。更使曾國藩不舒服的是，湖北巡撫一職，居然由毫不相干

的陶恩培來補授。這個對頭平白無故地，半年之間兩獲遷升，湘勇流血奮戰奪得的城池，竟然由他來主宰，眞正應了湘鄉的一句老話：牛犂田，馬吃谷，別人生兒他享福。什麼人來湖北當巡撫都可以，唯獨這個陶恩培，曾國藩怎麼也不能接受。他心裏氣憤不過，加之幾天來接連熬夜，竟然病倒了。

曾國藩剛和衣躺下，德音杭布便走進屋來。

「滌生兄，哪裏不舒服呀？」早兩天，爲著表示親暱，曾國藩稱德音杭布爲「泉石兄」，也要他叫自己「滌生」。「他從哪裏嗅到了氣味？」曾國藩厭惡地想。隨即從床上坐起來，笑道：「泉石兄，請坐。弟偶得採薪之憂，何勞仁兄過訪。」

「聽說剛才來了諭旨，仁兄官復原職，弟特來恭賀。」

「剛送走摺差，他就什麼都知道了。誰先告訴了他，待會兒要嚴查。」曾國藩心裏想，嘴上卻說：「皇上厚恩，國藩無以報答。」順手把上諭遞給德音杭布。德音杭布瀏覽一下，隨口問：

「仁兄擬何時整師東進？」

「十天後出兵。」曾國藩答得乾脆。

「羅澤南、胡林翼遠在天門、沔陽，能趕得到嗎？」

「速發急令召回，可以趕得到。」

停了一會，德音杭布說：「我看仁兄上個摺子給皇上，一請不要撤署理巡撫之職，沒有地方實權，糧餉籌措有困難。二請稍緩出兵，待湖北經理有頭緒後再出不遲。仁兄，這可是弟之貼心話，完全爲仁兄日後大業著想。」

這番話若從湘勇其他人口中說出，曾國藩一定會欣賞，這的確是眞心爲湘勇和他本人著想的建議，但對眼前這個朝廷派來的滿郎中，曾國藩有著十二分的戒備。他淡淡笑道：「皇上聖命，便是弟之大業，弟向來不敢有個人事業。署湖北巡撫一職，我早有辭謝摺上奏皇上，請皇上收回成命。現改賞兵部侍郎銜，已是皇上破格之優待。弟母喪未除，本不應接受，只是爲此再瀆皇上聖意，於心不安，故勉强拜受。我身在軍中，不宜兼地方之職，有朝廷調遣，餉糧亦不必憂。泉石兄，你在兵部任職多年，於軍事卓有建樹，來日商議東進事，還請仁兄多出良策，弟仰之久矣。」

德音杭布剛出門，派給他當僕人的蔣益澧便進來悄悄報告：「摺差將兵部一封密信送給了德音杭布，他看後立即就燒了，不知裏面說些什麼。」

曾國藩說：「這兩天他必定有些活動，你注意盯看，隨時報我。」

被德音杭布一衝擊，曾國藩的精神倒恢復了。聖命不可違抗，出師在即，一件思之已久的事，要在離開武昌時辦好。他將康福喚進來，他要立即調集武漢三鎮的好鐵匠，五天之內用上等好鐵打造一百把小腰刀。又親自在一張白紙上畫了腰刀的式樣：長九寸，闊一寸，不求花俏，但求鋒利，每把刀上刻「殄滅丑類，盡忠王事。滌生曾國藩贈」十四個字，並依次編號。康福問：「打造這麼多腰刀送給誰？」

曾國藩對他揮揮手：「快去辦吧，過幾天就知道了。」

這時親兵進來，呈送一分湖廣總督楊霈的咨文。曾國藩看咨文內轉抄一道諭旨，皇上命楊霈立即捉拿失地出逃的前鄂撫青麟就地正法。曾國藩心中一陣急跳，一種負疚的心情不期而然地冒了出來。他決定馬上去見見青麟。他要借此稍釋自己的歉疚心理，更重要的是，他要堵住青麟的嘴。萬一青麟察覺到已被出賣，臨死時不顧一切地說出獻俘眞相，若再揑造事實，那豈不壞了大事！

武昌、漢陽的同日克復，給青麟帶來希望。他欽佩曾國藩的軍事謀略，更感謝他爲自己將功補過所出的好主意。青麟哪裏知道，曾國藩給朝廷的報捷摺裏，壓根兒就沒提青麟一個字。謹愼老練的曾國藩非常淸楚，爲捨城逃命的巡撫說情，無異於捋虎鬚，必然引起皇上的震怒，而以獻巡撫為名獲取長毛的信任，又置大清王朝的尊嚴何在？曾國藩決不會因一個貪生怕死的青麟，而有損自己和湘勇的前程。武昌、漢陽同日克復，這是湘勇成立以來所取得的最大勝利，也是自太平軍起事來，朝廷方面所獲得的最大軍事成就，它應當是一幅輝煌燦爛、完美無缺的大捷圖，不應當，也不允許有一絲敗筆。

正當青麟一個人在學政衙門裏，思量今後如何報答曾國藩時，僕人報「曾大人來訪」，青麟慌忙走出門來。曾國藩滿臉堆笑走下轎，拉著青麟的手說：「墨卿兄，國藩這幾日軍務倥傯，未遑探望，想我兄諒解。」

青麟感動地說：「武昌、漢陽光復，萬事叢雜，全賴滌翁你一人支撐，此時正是一沐三握髮、一飯三吐哺的時候，且青麟乃待罪之身，能活到今日，已蒙滌翁恩德不淺，還有什麼諒解不諒解的呢？」

進屋坐下後，青麟心緒不寧地說：「滌翁，皇上對我的處置尚未下來，心中一直惶惶不安，如坐針氈，索性早點下達，革職為民，我倒樂得無官一身輕。」

看著蒙在鼓裏的青麟那副可憐相，曾國藩心上飄過一絲同情，遂安慰他：「墨卿兄不必過於憂慮，我想皇上一定會念兄守德安之功，以及此次收復武昌的忍辱負重，大不了降級調用而已。」

青麟感嘆地說：「滌翁，不瞞你說，當初我倆在翰苑時，我可沒想到你還有用兵之才。」

曾國藩謙遜地說：「那裏有什麼用兵之才，這也是沒有辦法逼出來的。墨卿兄，我昨日草擬了一分奏稿，你看看有無出入。」

說罷，曾國藩從袖口裏取出幾張紙來。青麟見上面寫著：

縷陳鄂省前任督撫優劣折。竊臣自入鄂城以來，撫恤遺黎，採訪輿論。據官吏將弁鄉紳合謂武漢所以再陷之由，實因崇綸、台涌辦理不善，多方貽誤，百姓恨之刺骨，而極稱前督臣吳文鎔忠勤憂國，殉難甚烈，官民至今念之，即於前撫臣青麟亦多同情之語。

青麟眼含淚水，十分感動地說：「難得滌翁主持公道，申張正義，如此，不但青麟之寃可伸，鄂省吏治亦將有指望。」

「我前摺已詳述兄台收復武昌之功，這一摺再言崇綸、台涌劣迹，想兄台定獲皇上寬有，且安心等待佳音吧！」

青麟感慨地說：「滌翁於我，眞有再造之恩。此番回到原籍，青麟將以耕讀課子爲業，以清風明月爲伴，再不過問世事了。」

曾國藩懇切地說：「兄台說哪裏話來。我輩深受國恩，豈能一受挫折，便消沉至此。兄台此次失事，原因不在你，而在小人當道，環境險惡，想天下之大，決不至於處處如此。縱然這次調動他處，只要我兄勤於王事，皇上一定會記念前功，很快就會起復重用的。」

「滌翁指教的是。青麟這些日子也是消沉了些，總感罪責太大，無法向世人交代。現經滌翁指教，心情開朗多了。今生若再有起復之時，定當重報大恩大德。」

二人正說得融洽，僕人慌慌張張進來說：「不好了，總督衙門來了兵士，執刀仗劍的，說要大人到制府接旨。」

青麟笑道：「有什麼好慌張的，我這就去。」轉臉對曾國藩說，「滌翁請回，我晚上再來拜謁。」

曾國藩也笑道：「兄台且放心前去，皇上聖諭已到，離開武昌時，國藩再爲兄台置酒餞行。」

青麟拱拱手，走進轎子，心舒神坦地吩咐起轎。曾國藩心情複雜地目送轎子出了巷口後，才離開學政衙門回府。

下午，青麟正法的事，在武漢三鎮沸沸揚揚地傳開了。有稱讚皇上聖明，執法如山的；也有憐憫青麟，搖頭嘆氣的；更多的人覺得天威莫測，心中又添幾分恐懼的。

八　康福的絕密任務

青麟正法的這天夜裏，曾國藩自己也弄不淸楚是何緣故，一夜心緒不寧，無端地生出許多恐懼來。剛一合眼，便出現一羣索命的鬼魂：無頭的廖仁和，死在站籠裏的林明光，還有剜目凌遲的魏逵，提著血淋淋頭顱的青麟，全都向他走來，張牙舞爪，哇哇亂叫。他嚇得急忙睜開眼睛，昏暗的油燈上，火苗一閃一閃的，屋裏的什物時有時無。他索性披衣起床，撥亮燈芯，坐在案桌前沉思。滿郎中的到來，署理巡撫的取消，陶恩培的一再遷升，這三樁事都頗爲蹊蹺，還有前次的降二級處分，難道眞的是皇上對自己有懷疑？如果是這樣，那今後的結局就不會是封侯拜相，很可能是身首異處了。歷史上立大功、擁重兵的人遭忌被殺的事太多了，遠的不講，本朝的鰲拜、年羹堯就是例子。他們都是旗人，或爲輔政大臣，或爲國舅，在朝廷中盤根錯節，黨羽甚多，都逃不脫這個厄運，何況自己孤身一個漢族書生……曾國藩思前想後，心驚膽戰地在油燈前坐了一夜，臨近天亮時才朦朧睡去。

一覺醒來，紅日高掛，曾國藩推開窗門，見屋前屋後滿是身著戎裝的湘勇，頓時精神旺盛，勇氣平添，昨夜的恐懼感早已飛到九霄雲外去了。

荊七進來，送給曾國藩一封家信。一年多前，歐陽夫人挈子女出都還湘，這信是長子紀澤從湘鄉老家寄來的。除稟安外，還夾了幾首近日作的詩，請父親為他修改指正。曾國藩記得，前次給兒子的信，除談做人的道理外，也談到了做詩的事。他認為兒子秉性氣清，心胸淡泊，宜學陶、孟之詩。想起昨夜的無端恐懼，曾國藩發覺自己的心靈深處，竟然仍埋藏著怯懦的一面，而兒子的清、淡，是否就是秉持自己的這個方面呢？假若真的這樣，那就可怕了。他決定今早就給兒子回封信。

在京師時，不管如何忙，曾國藩對家信從不苟且，每個月都有一兩封信寄到家裏，信寫得瑣碎詳盡。尤其是給諸弟的信，談讀書，談做詩文，談為人處世交朋友，談身心道德修養，談時事新聞，言辭懇切，情意深長。他巴不得把一切都傳授給弟弟，希望他們個個成才成器，做曾氏家族的克家之子。紀澤一天天長大了，他又將過去對諸弟的那分心意轉給兒子。帶兵兩年來，他已給紀澤單獨寫了七八封信，多是談些讀書做詩文的事。他希望紀澤做個讀書明理的君子，並不指望他當大官。他教給兒子讀書的方法是：看、讀、寫、作四者每日不可缺一，除讀四書五經外，還要讀《史》《漢》《莊》《韓》《文選》《說文》《孫武子》《古文辭類纂》。他勉勵兒子，讀書記憶差點不要緊，主要在有恆。他給兒子命題，要他按題作文寄到軍中來。每次寄來的文章，他都仔細批閱後再寄回去。紀澤喜寫字，他便告訴兒子，學字要學歐、虞、顏、柳四大家的字。這四家好比詩家中的李、杜、韓、蘇，天地之日月江河。並具體告訴兒子，寫字要注意換筆，這是寫好字的關鍵。曾國藩給兒子的家信，傾注了一個作父親的望子成龍的綣綣情意。

曾國藩細讀兒子作的《懷人三首》，覺得第二首寫得有點氣勢，便拿起筆來批了一句：「二首風格似黃山谷，有飄搖飛動之氣。」是的，就從詩文的陽剛之美談起，扭轉紀澤性格中的清弱一面。他攤開紙來，先寫了自己對《懷人三首》的整體看法，然後接著寫：

吾覺取姚姬傳先生之說，詩文之道，分陽剛之美、陰柔之美。大抵陽剛者氣勢浩瀚，陰柔者韻味深美。浩瀚者噴薄而出之，深美者吞吐而出之。姚先生喜陽剛之美，吾生平亦最喜雄奇瑰偉之作。兒之天資不低，此時作文，當求議論風發，才氣奔放，作爲如火如荼之文，將來庶有成就。少年文字，總貴氣象崢嶸，東坡所謂蓬蓬勃勃如釜上氣，才是上乘之作。作詩作文所憑者，胸中之氣也，奇辭大句，須得瑰偉飛騰之氣驅之以行。故詩文之雄奇，實作詩文者之雄奇也。爾太公曾言「男兒當以懦弱無剛爲恥」，此爲吾曾氏傳家之訓，兒謹記之。

爲檢驗這封信的效果，曾國藩命兒子下月作一篇《赤壁破曹軍賦》寄來。信寫完後，他感到一陣輕鬆，覺得這既是對兒子的教育，又是對自己昨夜怯懦的鞭撻！他在封信的時候，又想起這段日子來所發生的種種，驀地一個主意浮上心頭。

吃過早飯後，他把康福叫進三樂書屋，關起門窗，放下簾子，輕輕地對他說：「僑人，你今夜動身，到京城去一趟。」

「到京城去？」康福驚奇地問。

「是的，你到京城去走一趟，做一樁極爲重要的事情。」曾國藩神色嚴峻地說：「有幾件事我很奇怪：前次衡州出師時，突遭降二級處分，難道眞的是爲楊健請入鄉賢祠嗎？這次先有署鄂撫之命，沒有幾天又改賞兵部侍郎銜，陶恩培來湖北，還有那個德音杭布的光臨，樁樁件件，都令人深思。這不僅關係我個人的榮枯，我對此並不在乎，主要是對我們湘勇的前途關係甚大。你懂嗎？」

「大人放心，這中間的關係我懂。」康福已意識到此行的非凡意義，他十分莊重地說，「不瞞大人，這些事我也想過，只是不敢跟大人提罷了。不過，我這是初次進京，對京中人事一無所知，這等朝廷機密，我如何能打聽得到呢？」

「你空手去當然不行。」曾國藩指著案桌上一疊信說，「我這裏有三封信，你帶上。一封是給翰林院侍講學士袁芳瑛的，他是我的兒女親家。一封是給內閣學士周壽昌的，他是個京師通。還有一封給穆彰阿大人。他是我的座師，雖已致仕在家不管事，但關於朝政，他一向是消息靈通的。他們有什麼事會跟你講眞的。」

說完又給康福一張三千兩銀子的戶部官票，以便他在京師相機行事，康福鄭重其事地接過三封信和銀票，把它藏在內衣裏，心中充滿著一種受到特殊信任時所感發出來的激動，對曾國藩一鞠躬，轉身向門外走去。剛要出門，曾國藩又輕輕叫了一聲：「僑人。」

康福連忙回頭：「大人還有何吩咐？」

曾國藩凝神望著他，慢慢地說：「你此番進京，一切須要絕對保密，到三位府上拜訪時，要斷黑才去，平時不要上街逛店。你就住在城南報國寺外賢至旅店，那裏清靜。選一匹好馬，今夜就走，對人說是回沅江老家辦點急事。事畢即歸。」

康福一一記住，告辭出門。

九　一顆奇異的瑪瑙

吃完中飯後，曾國藩午睡片刻，一起床就不斷地有人來找，弄得他無法批閱文書。晚飯後，他要荊七擋住一切來客，今夜務必要將各營報來的軍餉開支單審定。

水陸四十名營官，都是曾國藩親自任命的，對他們的品德、才能、長處、短處，他都了解得很清楚。羅澤南、王鑫、李續賓、彭玉麟等人上報的開支單，一般與實際出入不大，曾國藩比較放心。對於他們所報的細項，不再一一查核。有的營官，特別是從綠營中調來的營官，在看他們的開支單時，則格外用心，逐條查對，逐項核實，他不允許湘勇將官中有貪污中飽的現象，常以岳飛「文臣不愛錢，武將不惜死」的話教育部屬。曾國藩尤其不能容忍有人欺蒙他。審過二十多分開支單後，已是深夜了，王荊七又換來兩支大蠟燭。一個親兵進來稟報：「水師標字營營官申名標求見。」

「今夜一律不見人，有事明天來。」曾國藩頭都沒抬，仍在看那些寫滿密密麻麻數字的開支單。過會兒親兵又進來：「申名標說有要緊事，非晚上來不可，懇請大人接見。」

「什麼事非得夜間來呢？」曾國藩想。他放下筆，伸了一個懶腰說：「那就讓他進來吧！」

待申名標坐下後，曾國藩微笑說：「標字營這次在長江水面上縱火焚燒賊船近百艘，為攻破武昌立了大功。中營官指揮有方。」

申名標忙欠身說：「收復武昌、漢陽，全靠大人妙計，職下出力甚微。」

曾國藩不想跟他多扯，問：「申營官夤夜至此，有何貴幹？」

申名標把凳子移向曾國藩，小聲說：「標字營進城後攻打總督衙門時，一什長在賊首偉俊的臥室中發現一紫檀木盒。盒內裝著一顆一寸見方的淡黃色瑪瑙，瑪瑙中有一朵紅牡丹。勇丁們正在好奇地觀看，恰逢我進去。什長把瑪瑙給了我。日光下，我見那朵牡丹開著血紅色的花瓣，眞是好看，便收下了。今夜我睡在床上，想我是個帶兵的粗人，要這瑪瑙做什麼！大人平素喜愛古董文物，何不將此瑪瑙送給大人。我連夜起身，從木盒中取出瑪瑙。突然發現一樁怪事。」

申名標有意停了一下，看曾國藩正聚精會神地聽他講，很是得意。他以為曾國藩會問他：「什麼怪事？」，見曾國藩並未開口，只得繼續說下去：「大人，你老說怪不怪，白天看到的那朵紅牡丹，花瓣竟然全部收縮了，就像已經凋謝一樣。我很奇怪，便趕緊點燃兩支大蠟燭，再仔細看時，花瓣重又開起來，只是比不得白天的鮮亮。我想，這可眞是個寶貝，便連夜把它帶來送給大人。」

說罷從身上取出那個紫檀木盒來，雙手遞給曾國藩。曾國藩說：「瑪瑙裏有牡丹花不是怪事，像你剛才說的，花瓣能開能收，倒是過去沒有聽說過，待我看看。」

曾國藩看那瑪瑙，內中確有一朵開著的紅牡丹。他吹熄蠟燭，再看瑪瑙時，果然那牡丹神鬼不知地萎縮了。他叫荊七再把蠟臘點燃，那牡丹眞的又開起來。曾國藩高興地說：「眞是一件怪物！」

「大人喜歡，這顆瑪瑙就孝敬給大人吧！」申名標笑嘻嘻地說，說完起身就走。

申名標走後，曾國藩又試了一次，跟剛才一樣。他猜不透其中的奧妙，心裏說：「這天下果眞有些匪夷所思的東西。」隨手把瑪瑙置於案桌上，繼續審閱未了的開支單。看過幾份後，便是標字營的軍餉開支細帳了。打武昌前夕，曾國藩風聞申名標在湘潭船廠監工時，冒領工錢三千兩銀子，當時因急於出征，不能細查。曾國藩認眞地看了申名標報上來的單子，項目與彭玉麟、楊載福的差不多，銀子卻多開了五千餘兩。曾國藩很覺懷疑。他離開案桌背手踱步，一眼看見燭光下那顆淡黃色的瑪瑙在閃光，心裏明白了，狠狠地罵道：「這小子想用瑪瑙來賄賂我，眞正是瞎了眼的傢伙！」

前兩天，劉蓉告訴曾國藩，這段時期，每夜都有不少湘勇捲帶在武漢三鎮搶掠來的財物，離營逃走。曾國藩已吩咐彭毓橋帶人守在通往湖南的各條路口擒拿。據彭毓橋說，被捉的人中也數標字營的多。

「這個江湖竊賊，本性不改！」曾國藩想到這裏又罵了一句。他在中名標的單子上重重地畫上一把叉，然後把它氣憤地推到一邊。

燭光下，那顆奇異的瑪瑙仍在閃爍著淡黃色的幽光。曾國藩走過去，將它輕輕地捧起，細細地端詳著。他想起明天要設宴為多隆阿接風，臉上泛起了一絲冷笑：

「明晚我就用這個寶貝，來它個一箭雙鵰！」

十一 箭雙鵰

曾國藩正在調兵遣將，準備整師東下的時候，卻突然又從半路中殺出個多隆阿，令他心裏頗不是滋味。多隆阿，字禮堂，呼爾拉特氏，滿州正白旗人。咸豐元年，多隆阿任盛京工部筆帖式，在京察未過堂之先，深夜至工部侍郎培成家，懇求優評。培成為人較正派，當面訓斥他這種行為，並將他前次京察時所得之「卓異一等」考評亦予銷除。多隆阿不死心，又在工部堂上當衆哀求，培成大怒，上奏朝廷。多隆阿遭革職處分。多隆阿十分狼狽，到處托人找路子，結果投靠科爾沁札薩克多郡王僧格林沁行營，在與林鳳祥、李開芳統率的太平天國北征軍的戰鬥中，多隆阿接連打了幾個勝仗，得到僧格林沁的賞識重用。僧格林沁打敗太平天國北征軍後，自以爲天下無敵，眼角裏非但沒有太平天國數十萬大軍的地位，也沒有朝廷的江南大營、江北大營的地位，江寧將軍都興阿原先也是僧格林沁的部下，僧格林沁便把多隆阿派到都興阿那裏，以加强都興阿的力量，日後爭得攻克江寧的首功。湘勇攻下武昌、漢陽，這是僧格林沁想都沒有想到的事情，他對曾國藩十分妒嫉，密奏咸豐帝，要謹防這支掌握在漢人手中的人馬，並建議速派多隆阿帶一支部隊赴武昌，名爲加强東進兵力，實際上充當朝廷的監視人。僧格林沁的密奏深合咸豐帝的心意。一道密諭下來，多隆阿立即以副都統的身分帶三千精兵，星夜出發，從六合進入安徽，再由英山進湖北境，然後從黃州溯江趕到武昌。

盡管曾國藩對多隆阿從江寧趕來的意圖很淸楚，但他卻不能得罪這位當今天子表兄手下的紅人。湖北巡撫衙門花廳裏，曾國藩擺了十二桌豐盛的酒席。鄂省綠營都司以上的將官，以及湘勇所有營官都前來赴宴。主賓席上，除多隆阿外，還坐著荊州將軍官文、湖廣總督兼湖北巡撫楊霈、固原提督桂明和盛京兵部郎中德音杭布。曾國藩舉杯向多隆阿敬酒，說：「多將軍謀勇雙全，這兩年來在山東、河北一帶屢敗長毛，拱衞京師，功勛赫赫，現長毛林鳳祥、李開芳已糧盡彈絕，斃命在即，多將軍蓋世之功，將永垂史册。」

一貫以英雄自居的多隆阿驕矜地笑道：「這全是托皇上洪福、僧王偉謨，多某何功之有！」

說罷將杯中酒一飲而盡。

官文也起身向多隆阿敬酒：「這次我軍東下，還須仰仗將軍倒轉乾坤之力，我敬將軍這杯酒，但願借得將軍虎威，一鼓聚殲竊據江寧羣丑。」

「多謝，多謝。」多隆阿又昂然站起說：「多某和三千江寧綠營將士爲皇上赴湯蹈火，在所不辭，長毛末日已到。多某爲激勵士氣，已許下明年上元節，將江寧全城歌女載到秦淮河上，爲立功將士唱曲侑酒。」

多隆阿話音未落，花廳裏的綠營將官們早已歡呼雀躍，杯盞相碰。桂明接著說：「鄂省兵力單薄，經驗不足，一切都要靠多將軍指教。」

多隆阿帶著幾分醉意，大大咧咧地揮揮手：「彼此一家，何必客氣。」

說罷，又端起酒杯喝了個底朝天。隨著官文等人的頻頻舉杯，出席宴會的綠營將官紛紛站起，呼喊著向多隆阿敬酒。多隆阿的倨傲，以及官文等人無視湘勇的神態，使得湘勇營官們大爲惱怒。這些營官全坐在凳上不動，無一人站起。曾國藩見此情景，忙起身端酒杯，望著一動不動的湘勇營官們說：「諸位，我全體將士即將誓師東進，多禮堂將軍親率精兵前來，大增我軍聲威。今日此酒，一來爲多將軍等接風洗塵，二來也爲諸位壯行色。各位請起，讓我們爲東進勝利滿飲此杯！」

湘勇營官們見曾國藩如此說，只得站起來，互相敬酒。酒席上重新響起一片吆五喝六的喊叫聲，氣氛漸趨熱火。曾國藩見時機已到，滿臉高興地對大家說：「為助多將軍和各位的酒興，我請大家看一件稀世珍寶。」

多隆阿最是貪財愛寶，一聽這話，大添興頭。他放下酒杯，急切地問：「侍郎公有何珍寶，快拿出來，讓大家一飽眼福。」

這時王荊七已將申名標所送的紫檀木匣捧進花廳。曾國藩從中把瑪瑙取出。

「好一顆光美的瑪瑙！」多隆阿情不自禁地讚嘆。

曾國藩笑著對大家說：「諸位看看，這瑪瑙裏面有什麼？」

多隆阿從曾國藩手裏將瑪瑙一把奪去，仔細看了一眼，大聲說：「這裏面有一朵好看的紅牡丹。」

官文、楊霈都湊過來，一齊稱讚：「這朵紅牡丹就像生成的眞花一樣。」

瑪瑙在酒席桌上傳遞，大家紛紛誇獎它的光澤之亮和顏色之純，尤其對裏面那朵鮮嫩欲滴的紅牡丹讚不絕口。申名標坐在桌邊，裝出一副第一次看到的樣子，心裏卻暗自得意。瑪瑙最後又傳到曾國藩手裏，他詭秘地對大家說：「請各位將桌上的蠟燭吹熄。」

衆人都不知何故，遵令把燭火吹熄。曾國藩說：「請大家再看看這顆瑪瑙。」

借著月色，多隆阿好奇地再看時，那朶紅牡丹早已萎縮，就像遭了霜打冰凍似地枯萎下來。多隆阿好生奇怪，揉了揉眼睛，拿著瑪瑙走到窗邊再看，紅牡丹的確已凋謝！多隆阿這一驚非同小可。官文、楊霈、桂明、德音杭布及各位將官傳看著這顆瑪瑙，都對紅牡丹的凋謝搖頭不解。這時，曾國藩又吩咐再點燃蠟燭，燈火通明的酒席宴上，衆人再看瑪瑙時，都驚呆了：紅牡丹又嬌豔地盛開了。

「稀奇！侍郎公，這可眞是一件蓋世奇物。」多隆阿不勝感嘆。他家中收藏了不少珍寶，現在與這顆瑪瑙比起來，那些珍寶都成了廢物。金花廳的人大大地開了眼界。申名標很快活。羅澤南納悶：滌生一向不喜珍稀，今夜如何將一顆瑪瑙當著多隆阿和各位將官的面如此炫耀，難道是武昌的勝利使他昏了頭？

「侍郎公，你這個寶貝是從哪裏得來的？」多隆阿的眼神是毫無顧忌的豔羨，彷彿只要說出寶貝的出處，他就立即會到那裏尋找！

「我手下一個營官送的。」曾國藩笑著回答，「他從長毛那裏獲得，又轉送給了我。」

「難得這樣有孝心的部下。」多隆阿感慨起來，望了一眼坐在另外幾桌的他的部屬。

「多將軍，這正說明你的廉潔無私，你一身正氣，部下不敢冒犯。」曾國藩一本正經地誇獎，使多隆阿心中一絲由嫉妒而生的怨懟化除了，高興地笑道：「侍郎公過獎了。」

「多將軍，在你的面前我感到慚愧。我想請教，這顆瑪瑙，我應怎麼處置？」曾國藩的態度是認眞的，多隆阿不得不放下酒杯。官文、楊霈、桂明等人也一齊放下酒杯。

「我看你還是收下，別冷了部屬們的心。」多隆阿竭力做出一副爲他人設想的神態。官文、楊霈、桂明也都說：「收下吧，這是理所當然的。」

申名標聽了，喜得把杯中的酒一口喝光，又忙著給自己倒一杯。

「各位不知，他這顆瑪瑙要換我八千兩銀子哩！」

「不是說送給你嗎？」多隆阿先是一怔，立即又說：「那也值得，值得！」

「八千兩銀子易得，稀世珍奇難遇。」官文是這方面的行家，他以略帶誇耀的神色說，「去年暹羅一個珠寶商人向我兜售一個徑長一尺一寸的夜明珠，他開價就是三萬。」

「官將軍家還有這樣的奇寶，我一定要去看看。」多隆阿嚷道，眼色很貪婪。

官文見狀，自悔失言，忙賠著笑臉說：「不知多將軍會來，我在上月讓家人帶回京師家中去了。下次再請你鑒賞吧？」

「可惜上月沒來得！」多隆阿很遺憾，轉過臉又對曾國藩說，「官將軍一顆夜明珠花三萬，我看這顆瑪瑙也不亞於他的珠子，八千兩銀子算是太便宜了。」

「多將軍你不知內情呀！」曾國藩收起笑臉，正色道，「倘若此人像官將軍剛才說的暹羅商人那樣，明碼實價，莫說八千兩，就是八萬兩也由他漫天要價，買不起我不買就是了；倘若是眞心眞意敬重上司的僚屬，爲感激知遇之恩送來，也可說在情理之中。但此人不然。他去年利用監造戰船之機，謊報工價物價，多領三千兩銀子，這次報開支單，又多報五千兩。他想用這顆瑪瑙來堵住我的嘴，不說出這八千兩銀子的冒盜，又想以這顆瑪瑙爲釣餌，以後好不斷地從我這裏把銀子釣走。騙我私人的銀子可恕，騙皇上的銀子，國法難容！」

酒桌上的軍官們都不去管主賓席上的對話，依舊是一片亂糟糟勸酒勸菜的吆喝叫嚷，申名標卻時刻在留心傾聽，聽到這幾句話時，一顆心像被曾國藩抓住似的，緊張得透不過氣來，臉上紅一陣白一陣地坐在那裏，如同受審一般。多隆阿、官文等人心裏想：他不想得好處，白送給你？拿皇上的銀子換來自家的財富，只有傻瓜才不幹！但嘴巴上都說：「此人手段卑鄙！」

曾國藩說：「所以我正要與多將軍你們商量下，我有個主意，看行得通不？」

「什麼主意？」衆人都湊過臉來問。

「我想這種行賄受賄的風氣，一定要在我湘勇中根絕，我今天正要借多將軍虎威為我壯膽。」

「侍郎公，你只管放心幹，本都統為你撐腰！」多隆阿氣壯如牛，儼然一個扶正壓邪的英雄。

「我要就多將軍坐鎭的好機會，當衆將這瑪瑙砸碎，以示國法軍紀不可褻瀆。」

衆人一聽都大吃一驚，中名標覺得一把鐵錘正擊在他的頭頂上，嗡的一聲，眼前全變黑了。

多隆阿忙說：「侍郎公，不能這樣幹，不能這樣幹！」

官文等人也說：「矯枉過正了，矯枉過正了！」

曾國藩說：「多將軍，不如此不可根絕呀！」

「侍郎公，這樣的稀世珍寶不可多得，砸了可惜。將送瑪瑙的人撤職查辦就得了，瑪瑙無罪，千萬別遷怒於它。」

官文等人忙附合：「砸了可惜，砸了可惜！」

「好一個為國惜寶，多將軍說得是。」曾國藩轉怒為喜，對著滿廳人說，「我湘勇全體將官聽著，剛才多禮堂將軍說了，今後若再有人學這個送瑪瑙的人的樣子，一概撤職查辦，在坐各位若有索賄受賄之事，一經查出，也嚴懲不貸。這次我聽多將軍的，爲國惜寶，不砸了，請多將軍代我將這顆瑪瑙轉給大內珍藏。」

說完，曾國藩雙手捧起紫檀木匣送給多隆阿：「多將軍，拜託了。」

多隆阿大出意外，眞有喜從天降之感，忙站起雙手接過，連聲說：「一定效勞，一定效勞！」

旁邊官文、楊霈、桂明、德音坑布一個個眼紅得不得了。那邊申名標恨不得一頭鑽進地下去躲起來。酒席散後，他趕緊跪在曾國藩面前，坦白認罪，請求寬大處理。曾國藩撤了他的營官之職，留在親兵營以觀後效。

這天半夜，德音杭布的臥室還亮著燈光。原來，德音杭布和多隆阿在盛京共事過一段時期，深知他的底細，鄙視他的爲人。德音杭布並不知多隆阿奉密諭而來，在今天這場酒席上，他既看到曾國藩不受苞苴，又看到多隆阿的貪財好貨。他想了很久，決定向皇上上一道密摺，把到湘勇大營這幾天來所了解的情況作個稟報，既稱讚曾國藩廉潔奉公治軍嚴明，又將多隆河收下紅牡丹瑪瑙的事也寫了進去。德音杭布睡著之後，蔣益澧把密摺偷出來，送給曾國藩。曾國藩看完密摺，露出快意的微笑，對蔣益澧說：「把它放回原處，讓皇上早日看到它。」

十一　曾國藩身著朝服，隆重地向湘勇軍官授腰刀

由於岳州和武昌、漢陽的攻克，湘勇的大小頭目都升了官。胡林翼升爲湖北按察使，羅澤南升爲浙江寧紹台道，彭玉麟升爲廣東惠湘嘉道，楊載福擢常德協副將，鮑超擢參將，李元度、李續賓、王鑫等營官及郭嵩燾、劉蓉、陳士杰等幕僚都有遷升。唯獨救了曾國藩命的康福沒有得到一官半職，大家都從心裏佩服曾國藩不以公職報私恩的品德。絕大部分勇丁都在進入這幾個城鎮的頭幾天裏，搶足了金銀財寶。除上繳部分給什長、哨長和營官外，其餘的便自己留下，托人輾轉送回家去。又是升官，又是發財，算是眞正嘗到了打勝仗的甜頭，湘勇士氣高漲，渴望著早日離武昌去打江寧。都說長毛把江寧建成了小天堂，那裏金銀如海，財貨如山，弄得湘勇個個垂涎欲滴，夜夜做著買田起屋、娶親討小、衣錦還鄉的美夢。太平天國西征軍在蘄州至田家鎮一帶重兵防守，欲與湘勇決一死戰的消息，很快傳到湘勇大營。曾國藩與胡林翼、羅澤南、塔齊布、彭玉麟、楊載福等反復計議三路進軍的決策和具體細節。

這天中午，彭毓橘帶領親兵抬了一個大木箱進來報告：「一百把腰刀已打好，請大人過目

。」親兵撬開木箱，從中取出一把來。曾國藩見腰刀果然打造得精美。熟鐵皮製就的刀鞘上，用銅釘釘出一朵朵雲形花紋，銅釘鑽亮，如同黃金般閃光。刀把上鑲嵌著墨綠色南陽玉。曾國藩將刀抽出，立時便有一道寒光撲面而來，刀刃鋒利，手不敢試。刀面正中端端正正刻著「殄滅丑類，盡忠王事」八個大字，旁邊是一行小楷「滌生曾國藩贈」，邊上另有幾個小字，那是編號。曾國藩一連看了幾把，把把如此。他很滿意，吩咐將木箱抬進裏屋。

湘勇官兵打仗立了功，可以按朝廷規定升官晉級，這是出自天恩。曾國藩想，還必須用一種方式來表達他個人對部屬的獎勵和賞識。用什麼方式呢？過多地發賞銀，他覺得有違於自己「不怕死，不要錢」的宣言，拜把結兄弟，這是山大王的行爲，他又鄙夷不屑爲。曾國藩想了很久，終於想出贈送腰刀這個好主意。武職不用講了，即使是文職，既然在軍營效力，就要有尚武精神。以個人名義贈送一把腰刀，既表達了自己與對方的特殊感情，又是鼓勵湘勇的尚武精神。第一批受刀者，人數要少，儀式要安排得異常隆重，使他們感到無上的光榮。這把親贈的腰刀，今後要成爲湘勇官兵人人企望的最高獎賞。

次日下午，秋陽燦爛，湖北巡撫衙門頭進二進兩棟房屋之間寬闊土坪上，聚集著近四百名湘勇哨長以上的軍官。他們一律按朝廷所授的官銜品級穿著蟒服，前後綴著補子。這些哨長以上的軍官，無論授文職還是受武職，品級都不高，大部分在七品以下，黑底補子上五彩金線綉的多爲鵪鶉、練雀、犀牛、海馬等，傘形紅纓帽上戴的是起花或鏤花金頂，插的是用鶡尾制的藍翎。一色簇新的衣帽，加上耀眼的刺綉和閃光的翎頂，眞個是花團錦簇，美不勝收。湘勇這批軍官，大半出身書生，少部分來自無業遊民和鄉下作田人。不久前還是毫無功名的寒士細民，今日一旦穿著日思夜想的官服，個個臉上流光溢彩，無異步入洞房時的新郎。不過，他們不明白，今天並非喜慶節日，爲何要如此隆重對待？

正在大家議論紛紛的時候，親兵高喊：「曾大人到！」

土坪上嘰嘰喳喳的聲音頓時停息，全體軍官一律挺直腰板，翹首肅立。只見曾國藩從二進廳堂裏邁著穩重的步履，威嚴地走出來。這批跟隨曾國藩近兩年之久的湘勇軍官們，此刻第一次看到他身著朝服出現。昨天，曾國藩拜發了給皇上的《陳明服闋日期摺》，報告三年（實際上只有二十七個月）守制期滿，從明天起釋服。今天，曾國藩頭戴裝有起花珊瑚紅頂帽，身穿石青四爪九蟒袍服，綴著紺色絲綉錦鷄補子，束一根金方玉版中嵌紅寶石腰帶，脚登粉底黑緞朝靴，顯得格外高貴莊重。身後跟著穿三品文官服的胡林翼、一品武官服的塔齊布、四品文官服的羅澤南、彭玉麟和二品武官服的楊載福。土坪上的軍官們心裏猜測，今天一定有非常喜事。

曾國藩站在屋檐下高出地面三四尺的台階上，用他特有的尖利目光，打量台階下這批新著官服的軍官們。荆七搬出一只虎皮交椅放在他的身後。曾國藩皺了下眉頭，揮手叫他搬走。他輕輕地咳了一聲，然後提高嗓門，用宏亮的湘鄉官話說：「諸位，本部堂奉皇上之命，受父老之托，訓練鄉勇，討伐叛逆，已近兩載。上賴皇上如天之福，下靠將士忠憤之心，雖經百端挫折，又遭岳州、靖港之敗，然我湘勇非但沒有壓垮，反而愈戰愈强。湘潭勝仗、岳州勝仗，使我們在家鄉贏得英名。現在我們又攻克武昌、漢陽，更是威鎮寰宇。這是我們全體湘勇將士的光榮。」

說到這裏，曾國藩灼灼逼人的目光將所有的軍官又橫掃了一眼，見他們個個神采煥發，又興奮地說下去：「今天，各位都已荷蒙酬庸，升官晋級，有的已成爲朝廷命官，有的正候補待缺，不久就可以授與實職。總之，都已解褐釋布。不僅爲自己，也爲列祖列宗爲妻子兒女爭得了風光榮耀。這些靠何而來？除靠皇上的格外施恩外，靠的是全體將士服從命令，精誠團結、勇猛剛强、百折不屈的精神。本部堂以爲，這十六個字，便是我們湘勇的精神。本部堂最看重的就是這種精神，戰果尚在其次。要徹底剪滅長毛，光復江寧，就要靠發揚光大這種精神。爲此，特舉辦今天的授獎大會。

湘勇軍官們這才知道今天這個不同尋常的集會的目的。統帥要授什麼獎呢？授給那些人呢？就像盯著變戲法的魔術師一樣，全體軍官懷著極大的興致注視曾國藩。這時，彭毓橋指揮兩個勇丁抬著一個木箱出來。勇丁解開繩索，揭開蓋板，頓時，台階上一片光亮。站在前面的軍官們禁不住誘惑，紛紛伸頭探腦，有的似乎隱隱約約地看到了什麼，不時發出嘖嘖聲。彭毓橘從木箱裏拿出一把腰刀來，近四百雙眼睛一齊集中到這把腰刀上。曾國藩神情凜冽地說：「本部堂新近在武昌打造了五十把上等腰刀。每把腰刀上面都刻有『殄滅丑類，盡忠王事』八個字，這是本部堂對各位的期望，也是三湘父老對各位的期望，願它成為我全體湘勇的志向。」

曾國藩原擬發一百把腰刀，昨天夜晚臨時又改變了主意，改發五十把，以此提高身價。第一號腰刀發給誰呢？他苦苦地思索良久。論湘勇的首創之功，第一號應屬羅澤南。論攻打城池的貢獻，第一號應屬彭玉麟。論官品階級，第一號應屬塔齊布。論勸他出山辦團練之力，第一號應屬郭嵩燾。論對他個人的恩情，第一號應屬康福。想到德音抗布和多隆阿一先一後的到來，想到他們兩人的背景，直到今天凌晨，他才把第一號腰刀屬主定下來。曾國藩在台階上高喊：「湖南水陸提督塔齊布！」

「到！」塔齊布氣宇宣昂地走上台階，對著曾國藩恭恭敬敬地行了一禮。

「訓練湘勇，勞績卓異，攻城略地，連戰連捷，塔齊布乃湘勇中第一功臣。本部堂贈你第一號腰刀。」

塔齊布雙手接過，雄赳赳的走下去。正在大家無限羨慕之際，彭毓橘又從木箱裏拿出一把腰刀，遞到曾國藩手中。

「浙江寧紹台道道員羅澤南！」

「到！」羅澤南跨上台階，也行了一禮。

「創辦鄉勇，厥功甚偉，指揮作戰，謀勇出衆。羅澤南爲鄉勇德高望重之功臣。本部堂贈你第二號腰刀。」

羅澤南莊重地接過腰刀下去。

曾國藩又高聲喊到：

「廣東惠潮嘉道道員彭玉麟！」

「到！」

「創建水師，從無到有，縱橫大江，揚我湘威。彭玉麟乃我湘勇水師衆望所歸之大將，本部堂贈你第三號腰刀。」

「湖北按察使胡林翼！」

「到！」

「書生從戎，鴻韜偉略，立功鄂省，英名遠播。胡林翼為我湘勇陸師傑出之大將本部堂贈第四號腰刀。」

接著，曾國藩將腰刀依次贈給郭嵩燾、楊載福、王鑫、李續賓、李元度、李孟羣、劉蓉、陳士傑、鮑超、康福、周鳳山、劉松山、彭毓橋等共四十七人。陽光照在刀鞘刀把上，五光十色，絢麗奪目。有的喜不自禁將腰刀抽出，立刻就有一股強烈的光束，刺得人睜不開眼睛。旁邊的人稱贊著。欣喜、贊賞、艷羨、嫉妒，各種複雜的心情，在受刀者和旁觀者心中翻騰。這四十七把腰刀發下來，猶如一批火藥彈投在乾草堆，頃刻劈劈啪啪，燒出騰空烈焰；又如一陣狂飆襲擊海面，頓時澎澎湃湃，捲起滔天巨浪。湘勇軍官們的議論嘈嘈切切，眼光熱辣辣的。「多好的腰刀！」「多令人愛重的獎賞！」軍官們心裏想著，口裏念著，彷彿皇上所賜的翎頂蟒袍，都在這把腰刀面前失去了迷人的光彩。

「各位弟兄，」曾國藩宏厚的湘鄉官話又響了起來，把沉浸在喜慶氣氛中的湘勇軍官們喚起，「本部堂打造的五十把腰刀，已發下四十七把，還剩下三把。沒有得到腰刀的弟兄們，可以上台階來自報戰功。本部堂將視功業勞績，擇優獎賠。

就像在燒得滾燙鍋裏驟然撥上一瓢水，湘勇軍官隊伍裏開了大炸。有的在咧嘴大笑，有的在撓耳抓頸，有的在慫恿別人，有的在獨自思考，有的頭上汗珠直沁，有的臉色鐵青，個個心裏發癢，人人躍躍欲試，但卻沒有人敢跳上台階。

「曾大人，你不獎我一把刀，我心裏不服？」突然，一個楞頭小伙衝出隊伍，縱身一跳上了台階。衆人看時，原來是憲字營左哨哨長劉連捷。

劉連捷跳上台階後，兩腮漲得通紅，一時反而說不出話來。曾國藩十分欣賞劉連捷這種毛遂自薦的勇氣，分外和氣地對他說：

「你當衆說說，你有哪些戰功？」

劉連捷望著曾國藩贊許期待的眼光，心神安定下來，大聲說：「湘潭之戰，我殺了十幾個長毛。岳州之仗，我繳獲長毛一門大炮。武昌城破，我第三個衝進城內，殺老長毛五人、兩司馬一人，奪毛長黃旗十面。曾大人，憑這些戰功，我可以得腰刀嗎？」

曾國藩眼中射出驚喜的光芒，高喊：「劉連捷，你是本部堂沒有發現的少年英雄。有這樣大的戰功，如何不能得腰刀！彭毓橘拿刀來！」

劉連捷喜從天降，兩眼潮潤。他雙膝跪下，然後兩手過頭，從曾國藩手中接過第四十八號腰刀，再站起來，將刀抽出，對著衆人在空中一揚，高喊：「殄滅丑類，盡忠王事！」最後輕輕一躍跳進了隊伍。劉連捷意外獲得一把腰刀，給那些未得到者增加了無窮勇氣。隨著劉連捷的雙腳剛從空中落地，一雙飛毛腿早已踩在台階上。衆人看時，原來是水師第一營左哨哨官宋國永。

「曾大人，這腰刀我也要一把！」

「你憑什麼要？」

「打湘潭時，我一人從長毛手裏奪得三只戰船。打岳州時，我縱火燒掉長毛兩船糧食。打武昌時，我殺死八個廣西老長毛。」

宋國永正敍說著，底下一人大叫：「曾大人的腰刀當送與我！」說話間，也縱身跳上台階。大家看時，此人是老湘營後哨哨長張運蘭。他不待曾國藩問，便自報功績：「曾大人，我隨璞山征伐野人山，殺征義堂賊匪三人。岳州城里，我率先衝進被長毛佔據的知府衙門，活捉衙門裏老少長毛十三口。武昌城裏，又奪取長毛火藥庫，繳獲各種武器數百件。」

突然又有人在底下大喊大叫：「若他們都可得腰刀，我王可升得不到，我要跳長江自殺！」

眾人被嚇了一跳。只見王可升臉色慘白地奔上台階，氣急敗壞地推開宋國永和張運蘭，吼道：「這腰刀是我的！」

宋國永捋起袖子，揮出拳頭，惡狠狠地說：「你小子逞什麼狠，老子拳頭可不讓人！」

王可升也擺開架式，凶煞煞地說：「老子用不著擺功，今日把你打下台階，就是老子的功勞！」

二人正要對打之時，驀地一人如同從天降下一般，跳入二人之間，大聲笑道：「二位老弟都給我下去，曾大人的腰刀我都沒拿到，豈輪得到你們？」

眾人看時，這人原來是水師二營前哨哨官劉翼升。他轉而對台階下的人說：「老子一人得長毛大炮五門，殺軍帥、旅帥各一名，老子都得不到腰刀，誰敢得？」

四人都在台階上摩拳擦掌，恨不得拚個你死我活。曾國藩喝道：「都給我住手！」

四人都僵著。曾國藩抬頭見天上遠處一行大雁正由北向南飛來，立時有了主意。他對台階下的軍官們喊：「還有誰要腰刀？都上來！」

話音剛落，又有三名哨長跳上台階。等了片刻，見無人再上，曾國藩對台階上的七個人說

：「諸位都是勇敢殺賊的壯士，都可得到一把腰刀，可惜本部堂只有兩把了，過去的戰功都不再提，今日當著諸位兄弟的面來一試硬功夫。」

七人一聽，以爲是要鬥打，都暗暗運氣。

「彭毓橘！」曾國藩喊：「你給我拿一張好弓和七支好箭來。」

彭毓橘從後屋背出一張雕花强弓，手裏拿著七支長箭。曾國藩說：「大家看天上一行大雁正結伴南行，每人一支箭，不論何人，射中者，本部堂一律贈腰刀一把。」

台階下一片歡呼，最先上來的宋國永屏息靜氣，心中默默禱告完畢：「颼」的一箭射出，卻是一支空箭！」在衆人惋惜聲中，宋國永知趣地走下台階。第二箭是張運蘭射的，隨著箭離弦的響聲，幾聲淒厲的雁叫傳來，一只灰色大雁沉重地摔在土坪上，在衆人的鼓掌聲中，曾國藩將第四十九號腰刀鄭重贈與張運蘭。張運蘭神氣十足地跳下台階。第三箭、第四箭、第五箭都是空箭，三人垂頭喪氣地下去了。第六箭輪到王可升。他運氣足，兩眼鼓起，一箭射出，又一只褐色大雁摔了下來。衆人高呼。曾國藩將第五十號腰刀送給王可升。底下有人在喊：劉翼升，不要射了，腰刀沒有了！」

這劉翼升素稱湘勇中的射雕手，他有意最後出手，來個後來居上，卻不想張運蘭、王可升的箭法也高超，將兩把腰刀奪去了。他天生要强。心想，就是得不到腰刀，也難得有這樣好的機會在曾大人和衆人面前露一手。他不慌不忙，心平神定，放開虎腿，伸長猿臂，瞄準天上的雁羣，口中喊了一聲：「著」，一支箭飛也似地直指藍天而去，眨眼間又折了回來，土坪上傳出沉重的「撲撲」聲。大家看時，都驚呆了，原來一只箭貫穿兩只大雁。近四百名軍官一齊歡呼，掌聲雷動。曾國藩緊緊抓住劉翼升的肩膀，激動地說：「不想今日在湘勇中復出養由基、紀昌。」

然後轉過臉對全體軍官說：「本部堂贈送腰刀的目的，是鼓勵湘勇將士多立戰功，多出英雄。今有一箭貫雙雁的神射手，本部堂豈能吝一腰刀而不奬賞？彭毓橘，你明日再去打造一把好腰刀，本部堂要親自給今日養由基贈刀！」

十二　曾國華率勇來武昌，王璞山請調回湖南

第二天午後，曾國華帶領在湘鄉招幕的五百勇丁來到武昌。曾國藩見到這個出撫給叔父的六弟，心中很是高興。四個弟弟，他認爲最有出息的便是這個爲人倜儻雄奇的六弟。國華告訴大哥：九弟因妻子臨產，過兩個月再來，要大哥在攻打江寧時，給他留個立功的機會。又說滿

弟被裁回家心情抑鬱，得知武昌大捷後，更爲自己羞愧。國藩聽後哈哈大笑。他一一問了家中情況，知老父健康，兒子讀書用功，甚是放心。國華捎來兩封信，一封是左宗棠的，一封是駱秉章的。攻下武昌，曾國藩向朝廷保奏出力官員，沒有忘記在長沙的左宗棠的功勞，特地給他保了一個知府銜，賞戴花翎。他想左宗棠此信必定對老朋友的厚意會有所表示。誰知抖開信一看，卻大出意外，左宗棠在幾句寒暄後：寫道：

吾非山人，亦非經綸之手，自前年至今，兩次竊預保奏，過其所期。來示謂以藍頂花翎尊武侯，大非相處之道。此次克復武昌，吾相距七百餘里，未嘗有一日汗馬功勞，又未嘗偶參帷幄計議，何以處己？何以服人？方望溪與友論出處，「天不欲慶吾道，自有堂堂正正登進之階，何必假史局以起？」此言即是。吾欲做官，則同州直隸州亦官矣，必知府而後爲官耶？且鄙人二十年來，所嘗留心自信可稱職者，惟督撫而已。以藍頂尊武侯而奪其綸巾，以花翎尊武侯而褫其羽扇，既不當武侯之意，而令此武侯爲訕笑。特將藍頂花翎原璧奉還。

曾國藩覽畢微笑說：「人說季高可大授而不可小知，可用人而不可爲人所用，果然不錯。」又問弟弟：「季高近來得意嗎？」

「我在長沙聽官場上說，湖南只知左師爺，不知駱中丞。」

「有這事？」

國華笑笑說，有人講了個故事：有天駱中丞在簽押房辦事，聽衙門外三聲炮響，驚問何故。僕人答：『左師爺正拜摺。』駱中丞先是吃一驚，隨即平靜地說：「到左師爺那裏拿底稿來給我看看。駱中丞不過右副都御史的銜，季高現在被人稱爲左都御史了。」

曾國藩大笑：「這樣的師爺，怕歷史上找不出第二個，難怪他不受知府頂翎。」

國華說：「駱中丞這個巡撫也做得太可憐了。若是我，哪怕他左宗棠眞有諸葛亮之才，我也不能讓他爬到我的頭上。」

「駱吁門也是沒有辦法，又無做巡撫才幹，又要戀棧，就只得聽季高的了。」曾國藩說著再拿起駱秉章的信來看。信中說湖南匪亂又起，四境不得安寧，若有可能，請借一營勁旅回湘剿匪安民。曾國藩問：「省裏會匪又起了？」

「天地會、征義堂、串子會、半邊錢會一股香會都在鬧，駱中丞一天到晚如坐水火之中。」

國華答道，「據說串子會擬攻長沙，聲稱要爲林明光報仇。」

「看來林明光眞是串子會的人，關站籠不冤枉。」

「林明光其實不是串子會的人，串子會是借機與官府作對。」

停了一會，曾國藩問第六弟：「縣裏還安靜嗎？最近有何新聞。」

「哦，眞的，大哥不問起，我倒忘記告訴你一樁事。」國華將凳子移動一步，靠近大哥身邊小聲說：「我來的前兩天，聽說璞山在家的兩個弟弟開琳、開化也在鄉里招募勇丁，說是奉令組建兩營人馬來大營效力。」

曾國藩一驚，說：「奉誰的令，我怎麼不知道？」

國華壓低聲音說：「我看璞山這人有野心，他是想壯大自己的力量。大哥，你可不能做駱吁門，讓璞山做起左老三來了。」

曾國藩蹙緊眉頭，沈默不語。國華見大哥心中不快，後悔這句話說得過分了。他有意轉換話題：「大哥，我一向只知讀書作文，從未帶過勇，以後還請大哥多多指教。」

「帶勇之法。」曾國藩想了想說：「兄這兩年來的體會是，以體察人才爲第一，整頓營規，講求戰守尙在次之。制勝之道，有的人歸結在使用堅船利炮，其實，在人而不在器。故你最要緊的，不是在多添刀炮馬匹，而在於愼選哨官哨長。」

曾國華爲人眼界甚高，平日裏只服自己的這個大哥，別人都不放在眼裏。此刻他知道大哥是在給他傳授眞正的學問，便恭恭敬敬地端坐聆聽。

「選擇哨官哨長，主要在實心辦事，有忠義血性，其次在能吃苦，號令嚴明，有智謀。此中尤以實心辦事最重要。實心，就是眞心實腸，樸實穩當，這是第一義。至於算路程之遠近，算糧草之餘缺，算彼己之强弱，都是第二義了。這也就是德和才之間的關係。德才兼備最好，二者不可兼得，寧可用才低點而德好的人，決不可用才高德薄之人。」

國華點頭稱是。曾國藩知道弟弟的脾性，又說：「衡人亦不可眼界過高。人才靠獎勵而出。大凡中等之才，獎率鼓勵，便可望成大器，若一味貶斥不用，則慢慢地就會墜爲朽庸。對待部屬，大哥有兩句話，望弟切記。」

國華望著大哥，誠懇地說：「請大哥賜教。」

「這兩句話是：揚善於公庭，規過於私室。」

國華點點頭，輕輕地重復一遍。

曾國藩又說：「我明天給你派幾個好哨官，日後要你自己愼選幫手。」

兄弟二人正說話間，王鑫進來了。國華與王鑫相見，甚是親密，互道思念之情。王鑫對國藩說：「昨天滌師親授腰刀，在二萬湘勇中影響甚爲劇烈。得腰刀者，莫不感激滌師知遇之恩，發誓要跟著滌師，萬死不辭。沒有得到的，不少人找到我，要我稟請滌師再打造五十把，他們要憑戰功來獲取。」

曾國藩捋著長影鬍鬚，開懷大笑：「好！看在璞山的面上，再打造五十把。」

王鑫很得意，說：「聽說日內即將整師東下，自古戰勝攻取，靠的是奇謀妙策。學生現有一奇策，不知可用否？」

曾國藩說：「璞山有何妙計，盡管說。」

「據情報，長毛僞燕王秦日綱收集武昌潰卒，在蘄州至田家鎮一帶設下防線，其企圖在阻我長江水師。蘄州至田家鎮地形險峻，敵人已重兵把守，勝負難卜。我軍不如暫不驚動田家鎮之賊，而出奇兵突襲九江。九江危急，則賊之人馬必回援。那時，我水陸大軍將順利衝破蘄州、田家鎮，會師於九江城下。若此策可行，學生願率五千人馬星夜奔馳江西，擒石達開於九江。」

王鑫一番話說得氣概昂揚。

曾國藩一邊捋著鬍鬚，一邊微閉著雙眼在認眞地聽。他不以王鑫此策爲然。待到王鑫說完，他緩緩地說：「用兵打仗，雖常有奇策，但只可偶爾用之，不可倚爲根本。穩當平實者，常操勝券。璞山剛才所說的，名爲圍魏救趙，實乃越寨進攻。依我看，把握不大。」

王鑫滿腔熱情，遇到的却是一盆冷水，心中頗爲不快，但他不甘心放棄，想用前代成功的戰例來說服曾國藩：「滌師，越寨進攻，古來多有成例。宋明帝泰始二年，晉安王子勛作亂。官軍與亂軍相持於濃湖，久未決。時官軍在下游赭圻，亂軍袁凱在上游濃湖，另一將劉胡又在上游鵲尾。官軍龍驤將軍張興世越濃湖而攻鵲尾，最後鵲尾、濃湖二處相繼而潰。當時情形，與今日頗相似。」

王鑫不愧羅澤南的頭號高足，書讀得很好，此時引用這個戰例也十分恰當。對這一點，曾國藩暗中讚賞，但這種讚賞，他只藏在心裏，不願表露出來。他不正面回答王鑫的挑戰，而講出一個相反的戰例：「陳文帝天嘉元年，王琳屯長江西岸之柵口，侯瑱屯長江東岸之蕪湖。王琳越侯瑱，直趨建康，侯瑱出蕪湖尾隨其後。時西南風急，王琳擲火燒侯瑱船，結果皆反燒己船。侯瑱發蒙沖小船擊之，琳軍大敗。此越寨進攻失敗之例。」

王鑫辯解：「此乃王琳無才，西南風起，豈能再用火燒尾後之船！」

曾國藩說：「你說的有道理。但我問你，九江空虛，你有無確報？石達開乃賊中梟雄，你五千兵何能使九江驚慌？倘若田鎮之兵並不回援，非但不能調虎離山，反而分散我軍兵力。且三路進兵已成定局，不便再行更改。」

王鑫聽了很不是滋味，他知道再說也是空的，便問：「請問三路人馬如何布置？」

曾國藩說：「北路由多隆阿、桂明統率，沿河口、楊邏、巴河，蘭溪，茅山鎮東下，駐紮蘄州；南路塔智亭任統領，羅山，迪庵、春霆爲分統領，由紙坊南下至山坡，再轉向東，由金牛堡、大冶方向向江邊靠攏；中路水師雪芹爲統領，厚庵、鶴人（李孟羣字）爲分統，沿江東下。三路大軍在蘄州會合。潤芝新授湖北臬司，守土爲其責任，則鎮守武昌，不隨軍出發。」

王鑫聽說鮑超都當了分統，卻沒有自己的份，老大不快。其實，鮑超這個分統，本是王鑫的，只是剛才聽了國華的話後，才臨時改變主意。曾國藩決不能容忍有人背著他，在湘勇中培植自己的私人勢力。他原本極喜王鑫的才能、野人山一仗後，更器重王鑫了。但後來，曾國藩發現王鑫越來越心高氣傲起來，常常自作主張，隱然以湘勇首腦自居，特別是初到衡州時寫招牌一事，使曾國藩很長時間心中不安。今天聽到六弟說的情況後，便斷然決定，撤掉他的分統一職，派他回長沙去。曾國藩見王鑫悶坐不語，便換上笑臉，顯出一副極信任的姿態，對他說：「璞山，這是溫甫剛帶來的駱中丞的信，你先看看。」

王鑫接過信，邊看邊想：既然滌師不信任我，我何不借此機會回湖南去。天下紛亂，哪裏不可冒頭，何必一定要在某人手下受氣？

「滌師，你讓我帶老湘營回長沙去吧！」

王鑫這一主動請求，倒出乎國藩意外。他自思：王鑫志大才高，敢於任事，此人年紀尚輕，經過一番磨練之後，或許有可能成爲一代名將。想到這裏，他認爲不能對王鑫太刻薄，要留個去後之思。曾國藩充滿感情地說：「璞山，羅山曾對我說過，賢弟是他弟子中的第一人。這兩年來，我也有同樣的感覺，賢弟是湘勇營官中最有才華者之一。我一向寄與厚望。駱中丞來信請派勁旅，我也尋思著，此事非賢弟不可。湖南是湘勇的家鄉，家鄉不寧，湘勇將士何來鬥志？且今後糧餉、兵員、還得靠家鄉源源不斷地供給。家鄉對湘勇之重要，想必賢弟十分清楚。賢弟此番回家，要獨當一面，自然會備嘗艱難，然自古以來，成十分之名者，乃做十分艱難之事者，望賢弟好自爲之。老湘營還缺哪些器械，賢弟自可提出，大營將盡力補齊。」

王鑫說：「老湘營的裝備比其他營雄厚，不缺什麼。」

曾國藩指著身後的書櫃，對王鑫說：

「器械不缺，我就不送了。這一櫃子明刻二十三史送給賢弟，權當餞行。」

「滌師於學生恩德太厚了。」

曾國藩深情地說：「道光十六年，會試再報罷，我出都爲江南之游。同邑易作梅官睢寧知縣，因過訪之，從易公貸百金，過金陵盡以購書。這部二十三史，即當時所買。近二十年來一直伴隨著我，未曾一時離開。今以這部書送給賢弟，願弟暇時瀏覽，磨練砥礪，成就一代名將，一代賢臣，今後好青史留名。」

曾國藩這番話使王鑫大爲感動，一旁的曾國華也爲之動容。王鑫爲自己錯怪曾國藩而內疚，站起來說：「滌師厚情，王鑫領受了。王鑫決不辜負滌師期望，待湖南匪亂平定後，我即率營回歸，永遠追隨在你老的左右。」

第八章　田鎮大捷

一　周國虞橫架六根鐵鎖，將田家鎮江面牢牢鎖住

當武昌城被湘軍攻破時，太平天國國宗石祥禎、韋俊和春官又副丞相林紹璋、殿左一指揮羅大綱、殿左七指揮周國虞等率領所部連夜向長江下游方向奔去。第二天下午，在樊口一帶遇到檢點陳玉成率領的救援先頭部隊。陳玉成告訴石祥禎等人，翼王在九江，燕王秦日綱率領援軍目前正在蘄州。大家商議了一下，都認爲此時不宜反攻武昌，不如全部撤退到蘄州和援軍會合，再定對策。經過兩天行軍，武昌撤退的二萬人馬，和秦日綱統率的三萬人馬在蘄州會師，當天晚上，便在秦日綱主持下，計議下一步的軍事行動。石祥禎在會上沉痛地檢討自己的失誤，請求燕王轉呈天王給予處分。秦日綱寬慰了一番。接著韋俊、林紹璋、羅大綱等人都對武昌失守，各自承擔了責任。陳玉成說：「各位都不必再檢討了，從來就沒有不打敗仗的將軍，武昌此時丟掉，不久後還可再奪回來。曾妖頭必然會乘攻陷武昌之機，率妖東下，犯我天京。我軍目前有五萬之衆，足可以在長江兩岸佔據關隘，阻其東犯。」

陳玉成今年才二十歲，他十四歲投軍，英勇機智，屢立戰功，天王親自提拔他爲檢點，是太平軍中最年輕的高級將領。他身材不高，却聲如洪鐘。小時患眼疾，家貧無錢醫治，爛了好

幾年，至今兩眼眼皮上各留一條深深的疤痕，軍中戲稱他爲四眼將軍。周國虞很贊同陳玉成的意見，說：「陳將軍分析得對。曾妖必定很快會浮江東下，他的全部人馬加起來不會超過三萬，我們只要重振軍威，足可制服。從蘄州到武穴一帶，關隘頗多，此乃天助我軍以地利，我軍應充分利用。」

他走到掛在牆上的地圖邊，指著地圖說：「諸位將軍請看，蘄州城五十里以下，有一處地方，名喚田家鎮。田家鎮在江北，隔江相對的是半壁山。此地向來扼控由湖北到江西、安徽的水陸兩路，江流湍急，地勢險要，只要在此地駐紮一支人馬，曾妖頭就是飛也飛不過去。」

羅大綱說：「將軍所說極是，去年清妖悍將江忠源便在此地被我軍擊敗，這田家鎮最是個險要之地。」

大家都認爲將大軍駐紮在田家鎮兩岸，阻止曾國藩東下是最好之策。最後，秦日綱決定，由陳玉成統領一萬人馬駐紮蘄州，作爲第一道防線，其餘四萬人全部進駐田家鎮，在那裏將湘軍一鼓聚殲。

田家鎮是一個有五千人口的大集鎮，由於水陸交通便利，自古以來便是長江北岸上的一個繁華市集。與之隔江相對的半壁山，孤峯挺拔，雄峙在大江南岸。山底下是一條通往江西瑞昌的大道。發源於幕阜山，流經通山、興國州的富水從半壁山南麓注入長江。入口處也有一個市鎮，名叫富池鎮。人口雖不多，却也熱鬧。往下走三十里，便是武穴。去年正月，東王楊秀清在這裏大敗陸建瀛的防軍，威鎮千里長江。秦日綱和石祥禎來到這裏，查看了兩岸地勢，甚爲滿意。秦日綱、石祥禎率二萬人馬駐田家鎮，韋俊、羅大綱、周國虞等帶二萬人守半壁山。

北王韋昌輝之弟韋俊也不過二十六七歲，但因家境富裕，小時飽讀詩書，因而處事顯得老練穩重，識見也比別的年輕將領高明。這一年來在湖南、湖北與湘勇打過幾次交道，他已經知道曾國藩不同於清朝的其他官吏，由湖南農民所組建的湘勇，也決不是清朝的綠營可比。對付曾國藩和湘勇，決不能掉以輕心。韋俊對南岸駐防作了精心安排。他吩咐羅大綱帶八千人，在半壁山脚安營下寨，林紹璋帶五千人駐富池鎮，周國虞帶六千人搜集船隻，扼守江面，自己帶一千親兵將營設在半壁山半腰上，以便各方兼顧。韋俊命令營寨要紮得嚴實，江面要招死。

太平軍在與官軍的作戰中，積累了一套建營寨的成功經驗。半壁山下，共紮六座營盤：大營一座、小營五座。營盤四周挖一條深一丈多、寬三四丈的溝，將離半壁山五里遠的網湖水引來灌滿。溝內豎立炮台十座，再用木柵圍住。溝外密釘五丈寬的一排排竹簽、木樁。林紹璋在富池鎮紮了四座營盤，其布置大致和半壁山營寨相仿。半壁山頂，架起了一座望台，一天到晚有兵士在上面瞭望，對岸田家鎮和下游富池鎮，都可以淸楚地看到山上打出的信號旗。江面上，周國虞指揮的戰船聚集了三百多號，天天在南北兩岸穿梭巡邏，嚴陣以待。北岸也是營寨相連，炮台相接。田家鎮擺開了一個大戰場，殺氣騰騰地準備一場惡戰。

這天，周國虞從江邊檢查戰船回來，對弟弟國材、國賢說：「我看這江面上的防守還很薄弱，曾國藩水師力量强大，還得想法子控制住江面。」

國材說：「我這兩天也常想這事，要是能把江面封鎖起來就好了。」

國賢說：「有辦法。當年東吳阻擋晋軍，後晋阻擋後漢，都曾用過鐵鎖攔江的辦法。我們何不學前人的樣，也打根鐵鎖將長江鎖住。」

國材說：「這個辦法也並不有效。豈不聞『王濬樓船下益州，金陵王氣黯然收。千尋鐵鎖沉江底，一片降幡出石頭』的詩嗎？」

國材的幾句詩一背，國賢垂頭喪氣了。國虞想了想，說：「國賢的主意也可以考慮，當年東吳和後晋的鐵鎖，中間沒有船承受，又只一根。我們改進一下。你們看，可以這樣來攔江。」

國虞拿出兩根木棍，又拿出五六隻碗來，將木棍並排擺在碗口上，說：「我們用兩根鐵鎖，每隔十丈安置一條船，將鐵鎖架在船上，這樣就牢固了。爲防止船被水沖走，船的頭尾都用大錨固定。鐵鎖用鐵碼鈐在船上。」

國賢高興地說：「此法最好，爲保險起見，每隔三隻船再加一個大木排，那就更穩當了。」

國材也同意了，說：「還加兩根吧，一共四根。」

「再加兩根！」國賢叫道。

「對！用六根，牢牢將長江鎖住，叫曾國藩的水師全部葬在這裏。」國虞重重地拍了下木板，五六隻碗一齊跳了起來。

周氏三兄弟的想法，秦日綱等人都贊成。隨軍的鐵匠們不分晝夜打造。十天後，六根鐵鎖南繫半壁山，北拴田家鎮，橫截長江。鐵鎖下共擺二十多隻戰船，八個木排，滔滔長江，猶如繫上六根腰帶，單等曾國藩水師到來，好將他們葬身江底。

二　三國周郎赤壁畔，美人名士結良緣

楊載福指揮五營水師作前鋒先天已出發，李孟羣指揮五營水師作後衞暫時未動，曾國藩帶著一班幕僚親兵，坐著特製的拖罟，夾在居中的十營水師中，這天起航了。爲了議事的方便，彭玉麟也坐在曾國藩的座船上。時已深秋，長江水顯得比春夏兩季清亮。天空萬里無雲，燦爛

的秋陽，照射著勇丁們划起的水波，發出白花花的耀眼的亮光。因爲是乘勝東下，全軍鬥志旺盛，又在流水的幫助下，船行的很快。曾國藩時而在艙內，時而在甲板上，與彭玉麟、郭嵩燾、劉蓉等人談古論今，意氣風發。目送著兩岸青山向後退去，大家甚是歡快。

黃昏時，近三百艘戰船停泊在葛店。勞累一天，吃過夜飯後勇丁們都早早安歇。彭玉麟看著艙外被夜色籠罩的江水，心裏很不平靜。白天站在船頭，指揮戰船航行之暇，他想起，十四年前，也是在這段江面上，他陪著小姑，度過了一生中最幸福的一段日子。白天不允許他多想，現在，萬籟俱寂，塵囂已息，兒時與小姑青梅竹馬的情景，一幕一幕地浮現腦海。小姑畫眉般動聽的越語，一句一句在耳畔響起。他拿出麒麟梅花圖，輕輕地撫摸，彷彿已墜入愛河，沐浴在小姑的萬種柔情之中。

自喬裝進武昌城後，就一直沒有再畫梅花了，彭玉麟覺得很對不起小姑的在天之靈。於是增添蠟燭，鋪開宣紙，一邊磨墨一邊凝思，腦子裏出現林逋的詠梅名句：「疏影橫斜水清淺，暗香浮動月黃昏。」是的，今夜我在船上爲小姑畫梅，就畫她站在岸上伸開雙臂迎接我。不一會，宣紙上出現一幅極美的畫面：水邊，一株枝幹秀逸的梅樹斜倚在草坪上，兩支長長的枝條向水面伸去，水面上飄浮著一隻小小的烏篷船。爲慶賀武昌的克復，也爲祝願田家鎮的勝利，彭玉麟破例調了一點丹砂，給那幾朵綻開的梅花點了紅。彭玉麟拿起畫自我欣賞，對畫的構思頗爲滿意。

「雪琴，你又在畫梅花了。」彭玉麟回頭一看，曾國藩笑容可掬地站在身後。

「哦，是滌丈，快請坐。」

曾國藩在彭玉麟的對面坐下，說：「我和你一起欣賞了很久，你竟然一點不知，眞有祖逌不聞雷響的功夫。」

彭玉麟給曾國藩泡了一杯龍井茶，雙手遞過來，說：「玉麟畫技粗疏，不堪入滌丈法眼。」

「雪琴，我常聽人說你最喜畫梅，素日無暇求睹，今日見這幅水畔梅花圖，眞使我耳目一新。」

「滌丈誇獎了。玉麟從未拜過師，無事畫畫，以娛自己眼目而已，實在登不了大雅之堂。」

曾國藩說：「丹青之藝，原是慧心靈性的表露，不在乎從師不從師，唐人張璪說得好，『外師造化，中得心源』，這造化所生的千姿百態的梅花，便是最好的老師。」

彭玉麟平日只知曾國藩經史詩文最好，聽了這兩句話後，方知他對繪畫亦有研究，心中甚爲折服，忙說：「滌丈所論，最爲精辟。玉麟這些年著實觀賞過成千上萬朵梅花，只是心性不靈，到底所畫的都只是俗品，今後還求滌丈多加指點。」

曾國藩搖搖頭說：「我平生最是拙於畫，簡直不能開筆。那年在翰苑，曾有幸一睹大內所藏王冕畫的墨梅圖，眞是大飽眼福。」

「王冕的墨梅圖果然還存在世上，日後若有機會看一眼，死都瞑目了。」

「那墨梅圖上還題著王冕自書的一首絕句：道是：『我家洗硯池邊樹，個個花開淡墨痕。不要人誇顏色好，只留淸氣滿乾坤。』從來說畫品出自人品，王冕蔑視軒冕、高蹈遠俗的雅潔品格，使得所畫梅花進入神品，這固然不錯。但世人都沒有注意到，王冕的那種雅潔品格，也是長年受梅花薰陶的結果。」

彭玉麟說：「滌丈所言甚是。人愛梅花，梅花也薰染人，人和花就漸漸地合一了。」

「雪琴常畫梅，定然胸襟高潔，非我輩所能比。」

「非是胸襟高潔，畫梅乃另有所託。」彭玉麟話一出口，便有點後悔。

曾國藩一進船艙，便看見擺在木箱上的麒麟梅花圖，聽了彭玉麟的這句話後，心裏明白了幾分。他指著麒麟梅花圖說：「雪琴，不想你還藏著一件精緻的綉品。麒麟梅花，眞有意思。你剛才說畫梅另有所託，是不是玉麒麟在想紅梅花呢？」

彭玉麟不好意思地臉紅了。曾國藩以一個兄長的口吻對彭玉麟說：「雪琴，你不要怪我唐突，你今年已過三十八歲了，尚不成家，莫非心中一直在戀著一個不可得到的人，畫梅就如同當年李義山寫無題詩？」

彭玉麟很佩服曾國藩對世事人情觀察得這樣細微精到，眞可謂一眼看穿。與曾國藩相處近一年了，無論是人品，還是才學，彭玉麟對曾國藩佩服得五體投地。既然已被看出，彭玉麟也不想再隱瞞，便把壓在胸中一二十年來的那樁既有歡悅，但更多哀怨的往事，第一次一五一十地，告訴眼前這位一向視爲師長、引爲知己的湘勇統帥。

曾國藩聽完彭玉麟這段肺腑之語，心中十分激動。他本是一個於情感上極爲豐富細膩的人，在這個江水拍打戰船的秋夜，彭玉麟的往事重重撩撥了他的心。去年在衡州一見玉麟，便如同見到故交。幾個月來，他對彭玉麟治理水師的才能，勇敢果決的性格和不居功不自誇的品德十分欣賞，多次在心裏稱讚玉麟是個不可多得的人才。今夜，聽玉麟深情的敍述，他對玉麟更加愛慕。如此深情的男子，今世能有幾人？這樣心性專一的人，一定是忠心耿耿的賢臣良友。

曾國藩說：「梅小姑在天之靈，會永遠感激你的。但小姑既已仙逝，你也不必再痴情爲她一世鰥居。還是我去年跟你說的那句話：『不孝有三，無後爲大。』爲一個女子而使自己絕後，也畢竟不是大丈夫之所爲。夜已深了，你這就安歇吧。明天早點開船，午後可以到黃州，我和你去悄悄地遊一番東坡赤壁如何？」

第二天天未亮，十營水師便啓碇開船，申正時分到了黃州。一個月前，黃州還是陳玉成駐紮的地方，武昌失守後，陳玉成退到蘄州。黃州知府許賡藻今天一上午就率領一班文武，在江邊恭候。曾國藩在船頭，向江岸拱拱手，算是領情了。船一刻未停，直向下游駛去。船過黃州十里外，彭玉麟就下令停船。郭嵩燾、劉蓉等人都游過黃州赤壁，懶得再上岸，曾國藩吩咐郭、劉不要告訴任何人，說罷和彭玉麟換上便服，帶著王荊七一道離船登岸。

這黃州赤壁，本不是當年周瑜火燒曹操之處，只因蘇東坡那年謫居黃州任團練副使，夜泛赤壁，寫下前後《赤壁賦》和那首「大江東去，浪淘盡千古風流人物」的詞後，遂使得這個黃州赤壁，比嘉魚那個眞正的「三國周郎赤壁」還要出名得多。歷代文人遷客路過黃州時，莫不到這裏盤桓流連。前年曾國藩奔喪時路過此地，當然無心遊赤壁。這次即使是大戰在即，也不能不去遊一下。三人登岸，沿江邊走了兩里多路，便看到前面一座石山矗立。靠江的那邊，如同被一把大斧劈過一樣，現出一塊高十餘丈，寬七八丈的大石壁。曾國藩和彭玉麟估計這就是黃州赤壁了，興沖沖地向前走去。快到石壁邊，果然見岩石赭紅，竟是名符其實的赤壁。赤壁邊有一條人工開鑿的石磴。三人拾級而上，來到赤壁頂上。曾國藩站在山頂，看眼底下正是「亂石穿空，驚濤裂岸，捲起千堆雪」的壯觀，江風吹來，頗有點飄飄欲仙的味道。山上有一座蘇仙觀，觀裏有一尊東坡泥塑像。那像塑得呆板臃腫，全無一點蘇仙的風骨，倒是四壁青石上刻的《前赤壁賦》，筆跡飄逸瀟灑，值得一看。觀裏的道士極言這是蘇東坡的手跡刻的，曾國藩和彭玉麟看後微微一笑。

曾國藩對玉麟說：「今日遊赤壁，我倒想起東坡謫居黃州時所寫的一首豬肉詩，道是：『黃州好猪肉，價賤如糞土，富者不肯吃，貧者不解煮。慢著火，少著水，火候足時他自美。每日起來打一碗，飽得自家君莫管。』」

玉麟笑著說：「看來燒東坡肉的訣竅在火候了。素日吃別人家做的東坡肉，名雖美，味都不佳，原來是沒有讀過這首詩，不懂得『慢著火，少著水』的奧妙。」

曾國藩也笑著說：「除火候掌握不好外，還有肉不好。東坡肉硬要用黃州的猪肉才燒得好，如同杏花村的酒，只有用當地的水才行。可惜我們這次沒有口福了。」

玉麟說：「東坡是天才，詩文字畫，自是當時之冠。不過天才也有小失，他的那篇《石鐘山記》，說石鐘山是因水擊石竅，涵澹澎湃，類似鐘聲，其實不然。」

「足下何以知其不然？」

「我幼讀東坡此文，便覺可疑。水擊石竅，豈獨彭蠡之石鐘山？吾家鄉多見之。那年我路過湖口，特地去看了一下，才解開這個疑點。原來此山之名，並非擬聲而得，實乃以形而得。那座山，遠遠地看去，恰如一座石刻的大鐘。」

「雪琴，你可以寫一篇辨石鐘山的文章，跟東坡唱一唱對台戲。」曾國藩笑道。

「平定發逆後，我是要把這件事記下來，那時再求滌丈給我修改。」二人都一齊笑起來。正說得高興，前面走來一人，對著曾國藩深深一鞠躬，說：「侍郎大人別來無恙。」

曾國藩被弄得莫名其妙，那人抬起頭來，荊七驚奇地叫道：「你不就是楊相公嗎？怎麼到這裏來了？」

曾國藩也感到奇怪，說：「眞的是楊國棟！這幾年可好？」

楊國棟答：「說來話長，寒舍離此不遠。今日天賜能與侍郎大人在此幸會，眞令國棟做夢都沒有想到。就請侍郎大人和這位大人——」

「這位是彭統領彭玉麟。」曾國藩介紹。

「啊，久仰久仰！就請侍郎大人和彭統領及七哥一起到舍下一敍。」

荊七說：「楊相公，你那年不辭而別，後來又僞造大人家的古玩去賣，害得大人白白丢了八百兩銀子。」

楊國棟大驚：「有這樣的事？如此，則罪孽深重，容國棟今夜慢慢向大人說清。」

楊國棟是什麼人，王荊七爲何說他害得曾國藩白白丢了八百兩銀子？事情發生在五年前。

一天上午，曾國藩正在求缺齋用功，王荊七領來一個衣著寒傖的窮書生，說：「大人，這位楊國棟先生一定要拜見您，我說了好多話都不能攔住。」

曾國藩放下手中的《韓文公集》，用他目光深邃的三角眼將來人打量一下。只見此人三十餘歲，長條臉，兩眼烏亮有神。從臉色和衣衫來看，是個處於困厄中的潦倒者。曾國藩對來訪的讀書人，一律予以謙恭熱情的接待，不管是富有的，還是貧寒的。讀書人只要有眞才實學，還怕沒有出頭之日？今日魚蝦，明日蛟龍，是常見的事。何況眼前這位楊國棟那雙黑亮的眼睛，分明表示他是個聰明靈秀的人。曾國藩一點不擺侍郎的架子，站起身來，客氣地招呼楊國棟坐下，並要荊七泡一碗好茶來。曾國藩微笑問：「足下是哪裏人？找鄙人有何事？」

楊國棟說：「晚生乃湖南桃源人。」

「足下是桃源人，爲何無一點桃源口音？」曾國藩感到奇怪。

「大人，晚生生在桃源，七歲時跟隨父母到了浙江金華，一直到二十歲上下才出來游學求師，現在沒有一點桃源口音了。」楊國棟在曾國藩的面前，神態自若，全無一點尋常士子忸怩膽怯的模樣，使曾國藩對他頗有好感。

「足下是到京師來游學的嗎？」

「晚生此番到京師，是特來謁見大人的。聞得大人乃當今理學名臣，天下士人都願一識荊州。國棟來此，不求富貴，只求大人收留我做個學生，早晚得聽大人咳唾。」

曾國藩摸著鬍鬚，微微一笑：「足下讀先賢之書，想來一定有高見。」

「晚生讀聖賢書，談不上高見，卻也有點心得。」楊國棟並不謙讓，放膽而談，「某以為程朱之學，以『不欺』二字可以盡之。不欺人，尤貴不欺己。今人不欺人者，千不得一，不欺己者，萬不得一。某知之二十年，試行二十年，而終不能做到，故千里來京，求教於大人。」

曾國藩聽了很高興，說：「足下功夫猶未到家，知而不行，非眞知也；若一旦眞知，自然能行。朱子講先知後行，陽明講知行合一，二位先賢講的都有道理。朱子說：『義理不明，如何踐履？』又說：『知行常相須，如目無足不行，足無目不見。』陽明說：『知是行的主意，行是知的功夫；知是行之始，行是知之成。』又說：『知之眞切篤實處即是行，行之明覺精察處即是知。』先賢這些至理名言都說得深刻，足下好好領會，身體力行，必然大有長進。」

楊國棟聞之大為折服，伏拜於地，說：「大人指教之言，眞藥石地。」

曾國藩扶起楊國棟，二人縱談朱陸異同及陽明學派之利與害，大為暢快。曾國藩破例收下楊國棟，並在朋友之間稱讚楊國棟學問根基深厚，悟性甚好。遇到曾國藩稱讚時，楊國棟也並不怎麼感謝。別人問他，他說自己是來求學的，並不是來求名的。有人前來拜訪，楊國棟總拒而不見。國藩漸漸地對楊國棟敬重起來。

楊國棟在曾府住了三個月。一日，忽然不辭而別。四處找尋，都不見他的踪跡。曾國藩很覺奇怪。一連幾天尋不到，也就算了。後來，楊國棟這個人也被曾府逐漸淡忘。

這一天，曾國藩與朋友遊琉璃廠，在一個古玩攤上見到幾軸字畫。曾國藩拿起一看，大吃一驚，原來都是自己平日收藏的舊物。正在疑惑不解時，又瞥見一個荷葉硯台。國藩拿起荷葉硯台，心中暗暗叫苦。這個硯台，不琢不雕，其形天然作一荷葉狀，硯面青翠發亮。更稀奇的是，硯面能隨四時天氣變化而變化，晴則燥，雨則潤，夏則榮，冬則枯，就像一片眞荷葉。天雨時，硯上自有水滴如淚珠，用來磨墨，無須另外加水，寫出來的字，格外發亮。此硯本是湯鵬家的祖傳之寶。湯鵬與曾國藩原是很要好的朋友。湯鵬自負才高，目中無人，一次與曾國藩爲一小事爭論起來，竟勃然大怒，罵曾國藩不學無術。曾國藩惱火，與他絕了往來。後來，倭仁知道此事，指責曾國藩不對，說一個研習程朱之學的人，不能有這樣大的火氣。曾國藩心悅誠服地接受。第二天便主動登門向湯鵬道歉，又設宴邀請湯鵬來家敍談。湯鵬大爲感動，二人和好如初。湯鵬病危時，向曾國藩託付後事，並將這個祖傳古硯送給他。曾國藩十分喜愛這個硯台，通常不用，珍藏於箱底。「這硯台和字畫怎麼會到這裏來呢？」曾國藩心中甚是詫異。問攤主這些東西是哪裏來的。攤主說是從一個名叫楊國棟的那兒買來的。曾國藩駭然，忙問楊現住何處，答住在西河沿連升店。曾國藩立即命家人到連升店找楊國棟。店主說楊早已離開，不知去向。曾國藩無奈，只得將家中所有現銀拿出，湊足八百兩，將硯台和字畫贖回來。爲此事，曾國藩足足有半個月心裏不快，自己埋怨道：眞是瞎了眼，將一個竊賊留在家裏，不但看不出，還視之爲奇才而加以敬重。爲顧全面子，他命令家中人誰都不要向外人談起此事。

偶爾一天下雨了，曾國藩命荊七取出古硯來，磨墨寫字。又怪了，古硯並不像過去那樣，遇雨溢水。曾國藩嘆息著，把硯台拿在手中細細把玩，却發現似乎沒有過去那種沈甸甸之感。他起了疑心。遂命家人全部出動，翻箱倒櫃尋找。結果湯家祖傳古硯找出來了，字畫也找回來了。原來，贖回的竟全是贋品，眞的並沒有丟！他驚呆了。馬上要荊七到琉璃廠去找那個古玩攤主，但早已不見了。曾國藩大惑不解：究竟誰是騙子呢？說古玩攤主是騙子，他怎麼會知道我家珍藏的東西？說楊國棟是騙子，他爲什麼不將眞物竊走？

此時曾國藩在這裏邂逅楊國棟，眞個是他鄉遇故知，又能解開多年的疑團，豈有不去之理？曾國藩叫荊七回去告訴郭嵩燾、劉蓉，說今夜不回船了，明日一早再來接。

楊國棟帶著二人走了一里多路，來到一個山坳口，指著前面一片竹籬茅舍說：「這就是寒舍。」

曾國藩見茅舍前一彎溪水，幾株垂柳，環境淸幽安靜，說：「足下居此福地，强過京師百倍。」

說著進了屋。誰知這茅舍外面看似簡陋，裏面却大不一般。廳堂四壁刷著石灰，顯得明亮雅潔。牆上懸掛著名人字畫，屋裏擺的盡是精緻的上等家具。坐在這裏，並未感到是荒山野嶺，彷彿來到繁華市井中的官紳家。

剛坐下，楊國棟對裏屋喊：「阿秀，端茶來敬獻二位大人。」

話音剛落，從裏屋出來一個二十二三歲的女子。托著一個黑漆螺鈿茶盤，步履輕盈地走進客廳。那女子大大方方地把兩碗茶放在几上說：「請二位大人用茶。」

說罷莞爾一笑，轉身進屋了。彭玉麟看著這女子極像梅小姑，尤其是那莞爾一笑的神態和清脆的越音，簡直如同小姑復生。他不由地多看了阿秀兩眼。彭玉麟的瞬間表情，楊國棟沒發覺，曾國藩却注意了。楊國棟說：「這是小妹國秀，老母癱瘓在床已經幾年了，恕不能起身招待？」

曾國藩說：「足下那年突然離去，使我掛牽不已。」

楊國棟說：「學生那年貿然拜訪大人，蒙大人錯愛，留在府中。三個月來，跟隨大人，所學竟比我寒窗十年還多。大人恩德，學生沒齒不忘。那年突然離去，原是出於一樁意外的事情。」

阿秀又出來，擺出各種時鮮果品。曾國藩發現彭玉麟又看了阿秀兩眼，心裏忽然冒出一個念頭。楊國棟繼續說：「那天我正在前門大街上辦點事，正巧遇到從老家來的僕人。他一把抓住我，說：『相公，我在京城裏找你半個月了，今天終於碰到，快跟我回家。』我忙問：『家裏出事了？』僕人說：『相公有所不知，老爺在家，爲祖上的墳地和謝家打起官司來，被官府鎖在牢中，急等你回家。』我一聽慌了神，說：『我現在禮部侍郎曾大人家，曾大人這兩天在園子裏當值，過兩天曾大人回來後，我跟他說明，再離京回家。』僕人說：『老爺現在獄中，天天盼你回家，再等得幾天，不知回去後還能不能見到老爺。』老僕說著掉下眼淚。我心想：他是我家的僕人，都如此著急，我還能再等嗎？不如先回去，兩三個月後再回京跟大人道歉。我連忙回府收拾行李。我原本沒有什麼行李，只有幾樣假貨。那是在大人家住的時候，閑來無事，有一天，我照大人家藏的字畫臨摹了一張。自己看著，覺得也還像。頓時興起，要跟世人開個小玩笑。一連幾天，我早出晚歸，逛琉璃廠，與那些古董商人閑扯，從他們那裏套得了不少造假古董的技藝。我用重價買了幾張明代年間出的紙，又買了一支古墨，關起門來，用心臨摹、炮製，將大人家典藏字畫，每幅都精心臨摹了一張。又特別喜愛大人家的古硯，也照樣仿製了一個。我於是把這幾種東西帶上，留下一張『急事暫別』的紙條，來到僕人所住的西河沿連升店。」

曾國藩聽得極有興趣，微笑著插話：「現在我明白了，那張黃山谷的字是你自己臨摹的。」又說，「這張紙條不曾聽府裏人談起。」

「當時放在書案上，也可能後來被風吹走了。我來到連升店，僕人問：『相公身上也帶了錢沒有？』我身上一文不名。僕人也只剩下十幾兩銀子，這點錢，主僕二人無論如何到不了家。僕人看到包袱裏的字畫，說：『相公，目前是救老爺要緊，你這幾張字畫就變賣了吧！我知道你捨不得，到如今也沒有法子了，救得了老爺，日後還可以再買。』我心裏好笑。不過，他這一說倒提醒我。看來這幾副字畫臨摹得還可以，至少眼前的僕人是騙過了。如果能被哪個好古董而又不識貨的人買去，雖然有點缺德，事到如今，也顧不得許多了。我問：『緊急之間，賣給誰呢？』『有人買，隔壁就住著一個賣字畫的攤主。』僕人當即叫來一個中年漢子。我心想：正好檢驗一下我仿古的本領如何。便煞有介事地向那漢子吹噓，說是祖傳下來的眞跡，目前要救老爺，只得忍痛賣掉。那漢子早幾天便與僕人混熟了，因而對我所講的毫不懷疑。他眯起眼睛將那幾幅字畫和古硯細細鑒賞一番，問我：『你開個價吧！』我說：『這幾幅字畫和古硯，論價不會低於一千五百兩銀子，現在急要錢用，我沒功夫再找別人，你給七百五十兩吧！』那漢子和我討價還價，最後開出五百兩。我心裏想：好笑，這幾樣東西十兩銀子都不值，經過這樣的瞎吹胡鬧，居然就值幾百兩銀子了。便一手從漢子手中接過五百兩銀子，一手將那幾樣冒牌貨給了他。」

曾國藩想：這個楊國棟眞是摹仿古物的奇才，販賣古物的人被他騙了不說，連我這個古物的主人都讓他給騙了。這種以假亂眞的本事，天下怕難找出第二個。原先的那股疑惑，早已被沖得乾乾淨淨。彭玉麟也暗自詫異驚佩，笑著說：「楊兄，憑你這個本事，走遍天涯海角都不愁沒錢花。」

「彭統領取笑了。這種小技只可偶一爲之，哪可作立身之本。我帶上銀子，急急忙忙和僕人趕路。誰知到家後，老父已病死獄中。謝家因有人做大官，結果我家花了幾千兩銀子也沒打贏官司。謝家人平素口口聲聲講孔孟程朱，却原來是這樣的狠心狗肺。」說到這裏，楊國棟望著曾國藩苦笑一下，「不怕大人見怪，我一氣，從那時起，就不再讀孔孟程朱的書了。程朱之書說的都是誠，不誠無物。其實，這世上哪來的誠！謝家講誠，就不會有我老父病死獄中；我若講誠，便沒有主僕二人回家的盤纏。我過去二十多年，都被它誤了。原來悟出的『不欺』二字，竟是完完全全地欺騙了自己！」

曾國藩正色道：「程朱講的都是對的，只是世人沒有照著做罷了。足下不過因偶爾受挫，便憤世嫉俗以至如此，大可不必。」

「大人說得有理。」楊國棟說，「不過這幾年，學生倒學了不少眞本事。老父死後，我也不願意再在老家呆下去，便帶著老母幼妹來到黃州府投靠母舅。母舅原是黃州知府衙門的書吏，早幾個月，被長毛殺了。我們在蘇仙觀旁起幾間草房，母親和妹妹長年住在這裏，我到處雲遊，見什麼學什麼。不瞞大人說，我早兩天剛從廣東回來，在廣東還跟著洋人學會做火藥子彈哩！」

曾國藩眼睛一亮，說：「以足下的靈慧，自然是學什麼精什麼，想必足下現在一定精於軍火製造。」

「精於談不上，不過造出來的火藥子彈，也不比洋人的差」。

曾國藩大喜：「足下大才，目前正可施展良機。不知足下還願像五年前那樣，和我相處在一起嗎？」

「大人乃當今最爲有才有德之人，在廣東時，我便知道大人正統率湘勇，以滅長毛爲己任。國棟便多時想前去投奔，怎奈老母罹病，不忍赴兵凶戰危之地。今日天使我重遇大人，國棟願像五年前那樣，爲大人執鞭墜鐙。」

「伯母臥病在床，確不便遠離，你過兩年再來找我也行。」

「今日若不遇見大人，我這幾年確不準備遠離老母。但我聽七哥所言，學生犯了不赦之罪尚不自知。我萬萬沒想到，那些贗品居然蒙過了大人之眼，騙去了大人的八百兩銀子。學生負罪深矣。因此，爲報大人之恩，爲贖學生之罪，我決定跟大人去江寧，我可以爲大人造火藥子彈。」

曾國藩大喜道：「軍中正缺足下這種能人，明日我們就一道登船吧！」

彭玉麟也笑道：「有楊兄參戰，湘勇如虎添翼。」

楊國棟說：「大人，我前月從一農夫手中買了一匹好馬，爲抵學生之罪，我將此馬送給大人。請大人隨我到後院觀看。」

自從王世全把王世祖上寶劍送給曾國藩後，曾國藩便渴望有一匹與劍相匹配的馬，自己雖不能騎著它衝鋒陷陣，但作爲水陸兩支人馬的統帥沒有一匹像樣的馬，總是一件憾事。曾國藩和彭玉麟來到後院，只見馬廄裏果然栓著一匹高頭大馬。楊國棟把它牽了出來。那馬渾身火炭，無一根雜毛，來到坪中，昂首長鳴，甩頸踔蹄，嚇得樹上的鳥雀亂飛。曾國藩贊嘆：「好一匹龍馬！那農夫怎來的如此好馬？」

楊國棟說：「我當初也感到奇怪，便問那農夫。農夫說此馬原爲一個長毛丞相所有。長毛占領黃州時，親兵牽出去溜達。農夫殺了親兵，盜了這匹馬，藏在家中，等長毛走後才拿出來賣。見到的人都說它是關雲長的赤兔馬，我也就叫它赤兔了。」

曾國藩說：「誰見過關雲長的赤兔馬了，那都是羅貫中胡湊瞎編的。我看它渾身就像熟透了的棗子樣，就叫它棗子馬吧！」

彭玉麟說：「好個棗子馬！既入俗又脫俗。」

楊國棟也笑著說：「就叫棗子馬！」

曾國藩快樂地說：「好！我收下，就算抵了你假冒古董的罪。」

說得大家都笑起來。看看天色已晚，阿秀已擺上滿滿一桌菜，楊國棟請曾、彭入席。楊國棟指著當中一個大碗說：「這是用黃州猪肉燒的東坡肉。」

曾國藩笑著對彭玉麟說：剛才還說沒有口福，口福就來了。這眞叫做：「人有旦夕禍福而不自知。」

酒席上，大家開懷暢談，十分歡悅。楊國棟說：「小妹喜歡自制酒令，前一向編了一個酒令故事，可惜才力有限，竟沒編完。」

「想不到令妹還有這種才能，眞令我們欽佩。楊兄不妨說說，也好助酒興。」彭玉麟興沖沖地說。

我於詩詞曲令素來生疏，兩位大人都是才學淵博的前輩，我正要求助，使這個酒令故事成爲全壁。小妹用身旁現有的古迹編了一個這樣的故事：那年東坡謫居黃州，閒來無事，常與秦少遊、佛印禪師和黃州太守喝酒談天。一日，東坡興起，提出自制新酒令取樂，要求是先學一件落地無聲之物，接著說出二個古人，一問一答，講出一件事，答句必須是現成的兩句作歸結的詩句。東坡自己先說一令，「筆毫落地無聲，抬頭見管仲。管仲問鮑叔，因何不種竹？鮑叔曰：只須兩三竿，淸風自然足。」秦少遊想了一下，接著說：「蛀屑落地無聲，抬頭見孔子。孔子問顏回，因何不種梅？顏回曰：前村深雪裡，昨夜一枝開。」佛印禪師不加思考，也來一令：

「天花落地無聲，抬頭見寶光。寶光問維摩，僧行近雲何？維摩曰：遇客頭如鱉，逢齊項如鵝。」輪下去應該是黃州太守作，但黃州太守作不出，其實是小妹自己想不出來了。」

曾國藩說：「令妹詠絮之才，古今少有。這幾個酒令作得太好了，故事也編得高雅，我看不是她不能爲黃州太守作一首，而是想考考你這個做兄長的才華如何吧！」

說完大笑。楊國棟也笑道：「大人說得也對。她問我，也自然就是考我，我作不出，但小妹自己至今也還沒作出第四首，並說有人能代黃州太守作出，她就服了他。」

曾國藩對此本亦感興趣，有時間多想想，他也能夠爲黃州太守作一首，但他另有想法。他轉過臉對彭玉麟說：「我素來不懂酒令，雪琴你於此道有研究，今日我們就請道台屈尊，權當一下黃州太守。」

彭玉麟對阿秀很有好感，情願爲她續完這個故事，便不推辭。彭玉麟從佛印禪師的結句「鵝」字上得到啓發，想起駱賓王童時作的詩「鵝鵝鵝」曲頸向天歌，白毛浮綠水，紅掌撥清波。」頓時有了。他對楊、曾說：「我想起一個，不知像不像黃太守的口氣。」

曾國藩笑道：「你只管唸去，像不像由我來評判。」

彭玉麟念道：「雪花落地無聲，抬頭見白起。白起問廉頗，爲何不養鵝。廉頗曰：白毛浮綠水，紅掌撥清波。」

「好個『雪花』『白起』！」楊國棟就高興地說，「天衣無縫，我看當年那個黃州太守絕對作不出這麼好的酒令，眞要勝過東坡、佛印的才氣了。」

玉麟不好意思地說：「什麼東坡才、佛印才，都是令妹的才。」

阿秀在裏屋聽見彭玉麟的酒令後，很高興遇到了知音，出來大大方方地給彭玉麟滿斟一杯酒，慌得他忙起身道謝。阿秀笑吟吟地說：「彭統領幫了小女子的大忙。」曾國藩看在眼裏，喜在心頭。

吃完飯後，楊國棟送曾、彭到客房休息。等楊國棟走後，曾國藩悄悄地問玉麟：「雪琴，你對我說句實話，你是不是喜歡楊國棟的妹妹阿秀？」

玉麟臉紅了，說：「滌丈，你是知道的，我多年來都不願成親，怎麼會一見阿秀就喜歡呢？」

曾國藩說：「你的舉止瞞不過我的眼睛，我知道你是一個鐘情重義的眞正男子，但你今天看阿秀的眼神非比尋常。我猜想，這女子或許像你逝去的梅小姑，你是因爲喜歡梅小姑而喜歡她，是嗎？」

曾國藩對世態人情的洞悉，一向為彭玉麟所欽服。這個猜測，竟如同看穿了他的肺腑，彭玉麟只得不好意思的點點頭。曾國藩說：「雪琴，你的品性為人和我十分接近，我和你雖名為堂屬之分，實同兄弟之誼。如果你聽我一句勸告，不固執獨居的話，阿秀便是你合適的人選。這女子，我雖然沒有和她交談過，看她今天走路說話，是一個端莊的淑女，且生在這樣一個家庭，必然靈慧而懂詩書禮義。我去跟楊相公提，如阿秀尚未許字的話，我為你作伐，結秦晉之好如何？」

彭玉麟低頭不語，曾國藩知已默許，隨即走進楊國棟的臥室。楊國棟正在燈下收拾行李，見曾國藩來，忙起身讓坐，說：「大人尚未安歇？」

「我想冒昧問你一句話，請別見怪。」

「大人只管說，學生哪有見怪之理。」

「請問令妹字否？」

「大人問阿秀的事，真令我做兄長的心焦。小妹自幼聰穎，老父愛她如掌上明珠，從小教她詩書字畫。誰知小妹讀了幾句書後，心氣高傲的很，不管誰為她提親，都一概不允，說要得天下一眞正名士英雄才嫁。老父去世後，從金華流落至此，人地生疏，再加上我常年不在家，小妹的婚事便耽擱了。」

「令妹貴庚幾何？」

「不瞞大人，小妹今年足足二十三歲了。」

「我身邊現正有一個名士英雄，不知令妹看得上否？」

「請大人明說。」

「足下看彭雪琴如何？」

「彭統領已是三十歲開外的人了，莫不是夫人棄世，意欲續弦？」

曾國藩搖搖頭：「怎是續弦，雪琴根本就未娶過。」

「那是爲何？學生見彭統領堂堂一表，儒雅英邁，才學滿腹，又是大人麾下名將，爲何未成家呢？」

「這正是雪琴英雄過人之處。以雪琴之人才，何愁沒有倩女。只是他自小立志，要成就一番大事業後再談家室，以致拖延至今尚未成親。」

國棟不禁面露喜色：「這樣說來，小妹眞正有福了。彭統領適才的酒令，小妹甚爲喜愛。待我稟告老母、告訴小妹後，立即回話。」

這邊，曾國藩也把楊國棟的話告訴了彭玉麟。一會兒，楊國棟來到曾、彭的房裏，對他們說：「老母說：『既是曾大人為媒，這件事可辦。』小妹沒有作聲，只是拿出一張紙來，寫了幾句話在上面，說還要向彭統領請教請教。我拿過紙看時，竟不明白她寫些什麼。」說罷，將紙遞給彭玉麟。曾國藩好奇地湊過來看，只見上面寫著這樣幾行字：

紗窗碧透橫斜影月光寒處空幃冷香柱細燒檀沉沉正夜闌更深方困睡倦極生愁思含情感寂寥何處別魂銷

曾國藩在心裏默讀了兩遍，已經明白了，偷眼看彭玉麟，見他眉頭緊蹙，一副為難的樣子。楊國棟心裏在罵妹子：「成天躲在房裏沒事，盡編些稀奇古怪的文字來難人。」彭玉麟十分贊賞阿秀的才情，無論如何要破這個謎。他反覆默讀，突然心頭一亮，高興地說：「原來是一首《菩薩蠻》！滌丈和楊兄請聽：『紗窗碧透橫斜影，月光寒處空幃冷。香柱細燒檀，沉沉正夜闌。更深方困睡，倦極生愁思。含情感寂寥，何處別魂銷。』」

「正是正是，雪琴斷得好！」曾國藩興奮的稱讚。

楊國棟也笑著說：「彭統領大才，小妹不自量，班門弄斧了。我就去告訴她。」

楊國棟拿起紙就要走，彭玉麟一把拖住：「慢點。令妹才華錦綉，世間少見，這四十四個字不知費了她多少閨情。歷代才女喜歡寫回文詩詞，說不定這也是一首回文詞。」

曾國藩笑著說：「我剛才聽你唸時，也這樣想過，但究竟比不上你對楊小姐的知心。」

彭玉麟臉紅起來，說：「滌丈取笑了，還不知我說得對不對哩！姑且唸唸看。」

彭玉麟拖長音調，從最後一字讀起，竟然眞的又讀出一首《菩薩蠻》來：「銷魂別處何寥寂，感情含思愁生極。倦睡困方深，更闌夜正沉。沉檀燒細柱，香冷幃空處。寒光月斜影，橫透碧窗紗。」

曾國藩嘆道：「昔曹大家、蘇若蘭之才，亦不過如此。」

楊國棟興沖沖地進了妹子的房。一會兒，又紅光滿面地出來說：「小妹對彭統領的聰明才學十分佩服，她還想請彭統領就眼前之景和心中之念作一首七律。」

彭玉麟七歲時便會作詩，寫一首七律，對他來說是太容易了。但這首詩却非比尋常。眼下自己正分統水師東下，這是將載之於史冊的不朽事業，何不把這件事寫出來。他認眞想想，然後一氣揮就：

長江不許大王雄，王濬樓船要建功。

十萬天兵驅虎豹，三千犀甲奮貔熊。

旌旗常帶瀟湘雨，鼓角先清淮海風。

戎馬書生少智略，全憑忠憤格蒼穹。

楊國棟將這首詩帶進內室不久，便喜融融地托出一個錦綉香匣，對彭玉麟說：「這是小妹的生辰八字，今夜就交給彭統領了。」

彭玉麟臉上流光溢彩，恭恭敬敬地接過這份重禮，隨手從身上取出一隻碧玉兔交給國棟，說：「玉麟屬兔，三朝時，家母親手把這隻玉兔掛在玉麟頸上，至今有三十八年了，今日請小姐收下。」

曾國藩異常高興地說：「今夜成就了雪琴與阿秀的百年好事，我這個紅娘不可無表示。」曾國藩飽醮濃墨，凝神片刻，寫了一首《賀新郎》。

艷福如斯也，看江中，雄師東進，君其健者。一從風浪平靜後，喜結鴛鴦香社。料不久笙樂細奏，袍是爛銀裳是錦，算美人名士眞同嫁。好花樣，互相偕。

淋漓史筆珊瑚架。說催妝，新詩綺語，幾人傳寫？才子風流塗抹慣，莫把眉痕輕畫，當記取今宵月夜。明年攜得神眷歸，令老母幼弟同驚訝。悄悄話，聲須下。

曾國藩寫完，又細看了一遍，不無得意地交給楊國棟說：「楊相公，你把這闋詞也交給阿秀，待這仗打完，我便打發雪琴前來迎親，我爲他們主婚。」

三　從蘄州到富池鎮，太平軍和湘勇在激戰著

第二天一早，王荊七帶了幾個親兵來接曾國藩、彭玉麟。楊國棟拜別老母，吩咐阿秀悉心照顧母親，管理家務，然後牽出棗子馬。阿秀昨夜剛與彭玉麟訂親，很覺害羞，也沒敢和彭玉麟說一句話，只是深情地目送他們下山去。走出幾十丈遠後，彭玉麟禁不住回頭看了一眼，只見阿秀仍倚門眺望，他心頭一熱，趕緊轉過臉去，快步追上。

上船後，曾國藩將楊國棟介紹給大家，並公布了彭玉麟喜結良緣的事，大家都向玉麟表示祝賀。曾國藩悄悄地對劉蓉說：「你不是要假古董嗎，今後就找這位楊相公。」

「他就是那位臨摹山谷詩的人？」劉蓉驚奇地問。

「正是，沒有想到在赤壁邊遇到他。」

「奇才，眞是奇才！」劉蓉贊嘆。

船一路順水直下，傍晚時來到道士洑。楊載福的先頭部隊早一天已到達。當夜，楊載福向曾國藩作了報告：陳玉成的一萬人馬——水師三千、陸軍七千，在蘄州嚴陣以待。如何開戰，

請曾國藩定奪。曾國藩連夜派出三支斥候。一支沿江而下，窺探蘄州敵情。一支到江北打聽多隆阿的進程。一支到江南打聽塔齊布的進程。

次日午飯後，三路斥候陸續回來。探敵情的一支稟報：蘄州江面戰船不多，陸軍大部分兵力駐在江南，似乎隨時準備援助大冶、興國州兩城。這個情報很重要，曾國藩賞了斥候。北路的一支報告：巴河、蘭溪一帶未見多軍影子，估計人馬尚未到黃州。對多隆阿、桂明的北路綠營，曾國藩根本不抱希望。軍行遲緩，他不感到意外。南路的一支匯報：塔軍現駐金牛鎮以東五十里的鐵嶺口等候命令。

曾國藩在拖罟上與彭玉麟、楊載福、郭嵩燾、劉蓉、楊國棟等人商議。劉蓉說：「據情報來看，長毛據蘄州兵力不算太强，號稱一萬人，實際能打仗的頂多一半。四眼狗雖賊中幹將，估計也發揮不了多大作用，且四眼狗只善陸戰，水戰並非所長。可以立即通知塔智亭和羅羅山，命他們分頭進攻大冶和興國州，引誘陳玉成派兵援救，然後我水軍乘此機會，猛沖過蘄州。」

楊國棟說：「孟容兄言之有理。我在黃州時就聽說，據守大冶和興國州的將領，原是陳玉成的部下，且兵力都不過一二千。拿下大冶和興國州，對塔統領的南路軍來說是順手摘桃，即使陳玉成的兵員不動，達不到調虎離山之計，收回兩個城池，亦是功勞。」

彭玉麟、楊載福、郭嵩燾等人都贊成劉蓉的建議，曾國藩也認爲可行，於是水師暫時駐紮道士洑，不驚動下游。

塔齊布和羅澤南接到命令後，一萬二千人分爲兩支，塔齊布帶六千人南下經花油堡向興國州進兵，羅澤南帶六千人沿金河向大冶進攻。

太平天國興國州知州胡萬智，金陵人氏，乃太平天國首科進士。天國癸好三年八月初十日，是東王的壽誕，天京城裏舉行第一次會試——東試。東試論題是「眞道豈與世道相同」，文題是「皇上帝是萬郭大父母，人人是其所生，人人是其所養」，詩題是「四海之內有東王」。胡萬智是個窮苦的秀才，考了幾次鄉試都未中，對朝廷的科舉考試很是不滿。太平天國定都天京，帶來勃勃生氣，胡萬智擁護天國，欣然前往應試。文章做得花團錦簇，詩也做得珠圓玉潤，遂一舉高中。胡萬智好不高興，愈加對天國充滿感情。

中進士後，東王封他爲典朝儀。西征軍攻下興國，胡萬智被派往興國任知州。胡萬智到了興國，全部啓用一批新人，其中大部分是窮困潦倒的讀書人。半年來，他把全副心思用來整頓興國州的吏治。正當他準備在興國州大展鴻圖，建一番新政時，塔齊布率領的六千人馬攻到興國城下。興國城裏只有一千五百人，情形危急。胡萬智一方面布置守城，一方面急忙派人到陳玉成那裏討救兵。陳玉成已探得湘勇水師集結在道士洑按兵未動，料想一時不會有行動，便親帶四千兵趕來救興國。他剛走到黃州潁口鎮時，又遇到駐大冶城的總制汪茂先派出的信使，說湘勇已圍住大冶。無奈，陳玉成又分出二千人馬到大冶。當陳玉成趕到興國州時，塔齊布已攻下興國。陳玉成十分懊惱，率兵再奔大冶。半途中遇到潰兵，報告大冶已丟，汪茂先陣亡。陳玉成氣得兩眼冒火，率部怏怏回蘄州。

就在陳玉成離開蘄州的這一天，曾國藩會合先天夜晚趕來的李孟羣部，水師二十營約一萬人，在呼嘯吶喊聲中衝過蘄州防線，於馬口鎮對岸停泊下來。羅澤南提著汪茂先的頭和太平軍大小黃旗上百面、騾馬數十匹前來請功。塔齊布也押來胡萬智等一干興國州各衙門官員來會師。曾國藩親自提審胡萬智。只見胡萬智昂首挺胸毫無畏色走上大堂。曾國藩喝令跪下，胡萬智拒不從令。幾個親兵上前，把他的雙腿壓下去，曾國藩罵道：「大膽逆賊胡萬智，你身為聖人門徒，卻屈身降賊，玷污清白，眞是孔門敗類，衣冠禽獸。」

胡萬智雙目圓睜，大聲喊道：「無恥漢奸曾國藩，你身為炎黃後裔，卻背叛祖訓，投靠清妖，認賊作父，你才是眞正的亂臣賊子，民族敗類！」

曾國藩氣得臉色鐵青，大呼：「左右，把胡萬智這批禽獸一律剜目凌遲，陳屍示眾。」

胡萬智並不害怕，仍然痛罵不止，親兵將他强行拖了出去。

處決胡萬智後，曾國藩騎上棗子馬，帶著一批營官和幕僚登上江岸。此地離半壁山不到十里，孤峯挺立的半壁山如同站在眼前。山腳下營壘森嚴，旗幟林立，鼓角時鳴。江北田家鎮上也連營接寨，江中戰船梭巡。從半壁山到田家鎮，太平軍水陸兩路人馬築成一道銅牆鐵壁。曾國藩看後，心中憂鬱，默默地回到拖罟上，對衆人說：「駐守此地的長毛，一部分是武昌敗將，一部分是秦日綱的救兵。敗將復仇心切，救兵氣勢囂張，防守得如此嚴密，看來有幾場惡仗打。」

鮑超說：「長毛是虛張聲勢，大人不必過慮，明日我率部攻打半壁山，保證馬到成功。」

楊載福說：「明早我率先鋒營順流下去闖一闖，探探虛實。」

曾國藩想，先試探一下也好，便點頭同意了。

第二天一早，鮑超率霆字營來到半壁山腳下擂鼓叫戰。只聽見一聲炮響，當中大營裏衝出一位中年將軍。此人正是羅大綱，身後跟著數百名頭扎紅、黃兩色頭巾的太平軍將士。羅大綱騎馬佇立柵欄邊，高聲喊道：「大膽清妖，有本事的過來！」

鮑超氣得在馬上大叫：「操你祖宗八代，老子把你砍成兩截！」

他一時忘記了太平軍紮營的規矩，一邊罵，一邊指揮人馬向前衝。還未走到百把步，叫聲「不好」，已陷入於布滿竹椿的溝阱中，回頭一看，大部分湘勇也陷了進去。對岸太平軍士兵拍手歡呼：「陷了，陷了！」同時，萬箭飛來，湘勇紛紛中箭倒下。鮑超掄起大刀，前後左右揮舞，總算沒有被射中。他氣得雙腿緊卡馬腹，那馬掙扎著想跳出來，却被竹椿刺得鮮血直流。哀嘯不已。羅大綱驅馬出了栅欄，吊橋放下。正在這萬分緊急時，周鳳山帶兩營湘勇前來救援，鮑超被拉了出來。他不敢再戰，和周鳳山一起撤退下來。淸點人數，少了五十多個。

江面上，楊載福的先鋒營也陷於困境。當他們的船來到半壁山脚江面時，看到的是，一排釘死在江中的戰船，上面竟然橫著六根粗大的鐵鎖！慢說是木船，就是鐵艦也休想衝過。楊載福是個水上老手，見此情景，知道不妙，迅速撥轉船頭。後面火炮轟來，走慢的幾艘長龍著火被燒沈。楊載福滿面羞慚而回。

水陸兩軍初戰失利，使曾國藩的憂愁又添幾分。從靖港敗後再起這半年來，湘勇軍勢大振，尤其是武昌、漢陽的收復，更是名滿天下，朝野爲之震動，一洗往昔備受譏嘲的侮辱。曾國藩想：眼前這伙長毛尚不是主力，倘若這道防線衝不過去，豈不前功盡棄？無論如何不能被攔阻在這裏，不將這股長毛擊敗，至少要迅速衝過去。他決定先由陸路發起强攻，塔齊布打富池鎮，羅澤南打半壁山。第二天一早，兩支人馬遵令出兵。

羅澤南的人馬來到馬嶺坳，此地離半壁山太平軍營寨只有二里路。羅澤南吸取鮑超的教訓，不敢貿然前進，號令部隊停下來，就地紮營。羅澤南帶領李續賓、游擊彭三元、都司普承堯等人查看地勢。馬嶺坳與半壁山之間隔著網湖的尾都，湖漢紛錯，惟左右兩堤與山脚相連。正在指指點點查看時，猛然聽得山脚一聲炮響，從大小營寨裏衝出數千名精壯太平軍將士。他們越過溝上的吊橋，向湘勇衝來。羅澤南慌忙指揮勇丁列陣應戰。彭三元率部衆左堤迎敵，普承堯率部衆右堤迎敵。正廝殺間，從民房裏又鑽出一千多名手持利刃的士兵，李續賓急忙率迪字營迎擊。太平軍四路人馬合起來一萬多，在此已等候半個月，正巴望著這一天的到來。羅大綱一馬衝在前，從左堤直朝羅澤南殺來。羅澤南哪裏是羅大綱的對手，急忙閃開，幸得六品軍彭和祥過來接住。交戰不到十個回合，彭和祥被羅大綱一槍刺中咽喉。那邊惱了都司普承堯，拍馬舞刀過來與羅大綱拚搏。半壁山腰，韋俊指揮軍士擂鼓為戰友助威。右堤那邊，彭三元帶著一百多名敢死隊已衝到吊橋邊，正要進入營寨時，從山腰上雨點般飛來碎石，候選知縣李杏春、藍翎千總何如海登時被石塊擊斃。彭三元嚇得勒馬後退。這時，從各處民房門窗裏紛紛射來炮子、火箭、噴筒、湘勇匆忙後退。羅澤南只得下令鳴金收兵。

下午，李續賓帶領二千人又前去叫戰。交戰不到半個時辰，李續賓便敗退而歸。羅澤南焦急愈甚。李續賓說：「羅師不必憂慮，今下午學生再次出戰時，已看清半壁山下的軍事部署，下次交戰，學生有取勝把握。」

羅澤南驚喜，問：「迪庵有何法取勝？」

「長毛三次獲勝，所靠的主要在地利。其地利天然所占有二，人爲有一。天然者，前爲湖堤，後爲高山。湖堤限制我軍進攻的場所，半壁山居高臨下，我軍一切活動都在其俯視之中。人爲者長毛在營寨邊挖溝埋簽，此著厲害。」

「有利地勢既已爲其所占，我們無法與之爭雄。」

「我們不能與之爭雄，但可以使長毛的地利減少它的作用。」

李續賓的話啓發了羅澤南：「你是說可以乘夜偷襲？」

李續賓高興地說：「羅師，我們想到一起了。今日天陰，夜裏沒有月光，是夜襲的好時候。」

「夜襲可以使半壁山居高臨下的優勢失去，也可以偷偷越過湖堤，但長毛營前的水溝和陷阱仍在那裏。」

李續賓想了想說：「這有辦法。馬上趕製幾千個布袋，袋裏裝滿土，一人肩扛一個，把土袋丟到溝裏，連竹簽連溝都給它埋掉。」

羅澤南很欣賞這個主意，立即傳令下去，趕製布袋。軍中沒有布，羅澤南命令拆被子做，二功時分，李續賓帶領三千勇士，每人肩扛一個裝滿土的布袋，另一只手拿著武器，腰裏插著短刀，悄悄地穿過左右二堤，銜枚疾走，來到太平軍營寨邊。

因為營寨四周插了竹簽，又深開了水溝，且白天激戰一天，湘勇大敗，羅大綱不曾提防敵人會半夜竊營。按常規巡值的士兵，被李續賓竊營的先鋒隊砍死，三千湘勇急急忙忙將土袋填溝鋪路。已填鋪大半，營內尚未發覺。一個叫韋大春的兩司馬一覺醒來，到營外撒尿。夜色迷茫中，韋大春聽到柵欄外有一聲聲沉重的響動。他警覺起來，揉揉眼睛，輕輕地向柵欄邊走去，終於看清楚了。韋大春差點驚叫起來，他跑進大營，把羅大綱喊醒：「羅指揮，清妖竊營了！」

羅大綱呼地一下從床上坐起，一邊穿衣，一邊下令：「趕緊傳令，立即出營房打仗！」

羅大綱起義以來，跟清軍大大小小打過幾十仗，從沒有遇到過半夜竊營的先例。他對湘勇的凶悍能戰暗自佩服。半壁山上的韋俊也很快得到情報。立時，從山腰到山脚，到處燈火通明，李續賓叫苦不迭。水溝邊頓時聚集一千多名太平軍將士。羅大綱下令發箭。水溝那邊如飛蝗般的利箭射來，水溝這邊，湘勇一片片倒下，膽小的嚇得掉頭就跑。李續賓氣得兩眼冒火，怒不可遏地揮起一刀，殺了一個逃在最前面的湘勇，後面幾個嚇懵了，站著不動。李續賓又手起刀落，一刀一刀，連殺五個勇丁，這才把紛紛後逃的勇丁鎮住，硬著頭皮再去廝殺。李續賓舉起刀吼道：「弟兄們，今夜裏我們拼出去了。誰要是向後逃命，格殺勿論！大家齊心打贏這仗，我為兄弟們請功邀賞！」

李續賓命令普承堯、彭三元守住兩頭，自己居中調度，又派急足回大營搬援兵。湘勇大半人向對方射擊，其餘人拼命填土。雙方都倒下許多人，但土袋也在一尺尺增高，一步步推進。很快，羅澤南帶領守營的二千多湘勇也趕來援助。雙方在水溝邊、竹簽帶展開你死我活的爭鬥。水溝被填平了一長段，附近的竹簽也給土袋埋了，李續賓親自擂起衝鋒的戰鼓。湘勇們見已占上風，個個發瘋似地向前狂奔。在急劇的鼓點聲中，湘勇和太平軍展開肉搏。湘勇殺紅了眼睛，一見戴紅、黃頭巾的便砍。太平軍第一次遇到這樣凶蠻不怕死的對手，先自膽怯三分。肉搏一陣，太平軍漸漸不支。柵欄邊早已安置好的火炮，因為怕傷了自己的人，也不敢發射，氣得羅大綱直跺脚。韋俊見勢不好，親率山上一千兵下山救援。雙方又激戰了半個時辰。太平軍致命的弱點是臨時參加的人多，訓練不嚴，兩廣老兄弟都不習慣短兵接戰。看看不能取勝，韋俊和羅大綱一商量，決定全體撤退上山。湘勇窮追不捨，都被山上擂石擊退，只得眼睜睜地看著太平軍上了半壁山。羅澤南下令放火燒營寨，又叫人砍斷拴在山脚下的鐵鎖樁。到了辰正時分，羅澤南、李續賓率領湘勇，滿載各種戰利品，得意洋洋地回營。

就在半壁山下激戰的時候，塔齊布率領六千湘勇，在富池鎮與林紹璋部隊的戰鬥也異常激烈。林紹璋與塔齊布面對面的交鋒，這已是第二次了。今年三月底的湘潭戰役，林紹璋十戰十敗於塔齊布，最後全軍覆沒，林紹璋隻身脫逃。這不只是林紹璋個人一生中的極大恥辱，也給太平天國帶來不可挽回的損失。從那以後，太平軍便不能再圖湖南，而湘勇的氣焰也從此開始熾烈。倘若那次湘潭之戰也像靖港戰役那樣，說不定中國近代史上，就根本沒有湘勇的名字出現。

林紹璋報仇心切，還未等塔齊布紮穩營寨，便帶兵前來攻打，塔齊布慌亂之中敗退而逃。林紹璋大喜收兵。塔齊布與李元度、周鳳山等人商議。李元度獻計：「林紹璋有勇無謀，性情急躁，趁著他目前求勝心切，明天設法將他引出鎮外，在桐木嶺一帶埋兩路伏兵截殺。」塔齊布同意。

第二天一早，塔齊布帶一千人前來叫戰。一聽湘勇喊叫，林紹璋便披掛上陣。康祿勸道：「讓他們在外面叫罵，不理睬。」

林紹璋見塔齊布人少，恨不得一口吞掉，不聽康祿的勸阻，帶著三千兵衝出水溝外，康祿只得跟著。塔齊布笑道：「林將軍，還記得三月的湘潭盛會嗎？」

林紹璋虎目圓睜，怒罵：「塔妖頭，還記得昨日的敗逃嗎？今日你休想再走脫！」說罷，便策馬衝來，塔齊布接住。雙方交戰不久，湘勇便潰散四逃。塔齊布秋著林紹璋一個破綻，撥轉馬頭向桐木嶺方向奔去，林紹璋拍馬緊追。跑去三里多路外，康祿提醒說：「前面樹木叢集，恐有伏兵。」

林紹璋頓時醒悟，急忙勒住馬。忽然，數十面湘勇軍旗從草叢中四處豎起，李元度、周鳳山各帶二千人從兩邊殺出，將林紹璋、康祿團團圍在中間。一陣混戰，太平軍人馬死傷過半。康祿保護林紹璋殺開一條血路，衝出包圍圈。周鳳山在後面緊緊追趕，高呼：「不要放走了林紹璋！」轉進一個小小樹林後，康祿對林紹璋說：「林丞相，你把衣服脫下來給我穿，我把清妖引走。」

林紹璋說：「那怎麼行！趕緊往半壁山走，到了山邊，就不怕妖兵了。」

康祿：「丞相大人，清妖的眼睛一直盯著你，不會輕易放過。我代你把他們引開。」

康祿不由分說地伸手扯下林紹璋的明黃綉龍鳳衣，又高喊：「將帽子扔給我！」

林紹璋脫下帽子，感動地說：「兄弟，引他們走出二三里後，你就折轉跑向半壁山！」

康祿答應一聲，便將馬頭一扭，回頭向周鳳山的追兵衝去，嘴裏高喊：「清妖，林爺爺跟你拼了！」

周鳳山佇馬勸道：「林紹璋，下馬投降吧！朝廷可以封你一個副將！」

康祿罵道：「你們這些敗類，你以爲一個副將，就可以使你爺爺出賣祖宗嗎？」說著舉刀向周鳳山砍來。周鳳山並不認識林紹璋，見康祿頭上的單龍鳳帽，身上的明黃綉龍袍，認定是林紹璋無疑，決心活捉，立個十分漂亮的大功。周鳳山抖擻精神，使出平生本事，與康祿交戰。十餘個回合後，康祿料定林紹璋已走遠，便偷偷地從靴子裏摸出一把飛刀來，順手一揮，那鏢直朝周鳳山心臟飛去。周鳳山機靈，見飛鏢來，趕緊將身一躲，鏢從右臂邊穿過。周鳳山大叫一聲，栽下馬來，康祿趁機拍馬走了。衆湘勇扶起周鳳山，知「林紹璋」身藏暗器，都不敢追，便吹起得勝號，返回富池鎮。

四　彭玉麟洪爐板斧斷鐵鎖

半壁山和富池鎮兩路陸師的勝利，使曾國藩的憂愁大減。北岸，桂明、多隆阿的綠營兵也趕到田家鎮，將秦日綱、石祥禎的兵力牽制住，愈使曾國藩寬慰。現在，他要和彭玉麟、楊載福、李孟羣一起，全力以赴奪取江面上的勝利。深夜了，彭玉麟見曾國藩的艙裏還亮著燈光，便輕輕推門進來。只見書桌上，整齊地並排擺著六根竹筷，曾國藩坐在一旁，凝神呆望著。

「滌丈，這麼晚還沒休息？」

「哦，是雪琴來了。」曾國藩從沉思中醒過來，指著床邊的木凳說，「坐下，我正要和你商議。」

「滌丈，你是在考慮江面那幾根鐵鏈子？」彭玉麟指著竹筷問。

「這幾根鐵鏈子可不好對付啊！」曾國藩沉重地說，「我為它考慮半個夜晚了。拴在半壁山這頭的鐵樁雖被羅山砍斷，但江中的部分依然牢牢地釘死著，戰船如何過得去。」

「為這鐵鏈子，我想了兩天，長毛這一著眞夠狠毒。歷史上雖有橫江布鐵索的，但也只有一兩條，何曾見過六條之多。我想來想去，無法可施。金克木，火克金，看來只有火燒一法可用。」

曾國藩說：「東吳、後晋的的鐵鎖，也是用火燒斷的但正如你講的，那只有一兩根，現在有六根，却難以燒斷。」

彭玉麟說：「我已想好了。王濬當年用火炬，王彥章當年用火爐，我們用油鍋，不怕它六根鐵鏈子，就是鐵羅漢，我也要將它熔化。」

曾國藩想來想去，也只有此一法了，便同意彭玉麟的辦法。從曾國藩船艙裏出來，彭玉麟又招來楊載福、李孟羣及澄海營營官白人虎、定湘營營官段瑩器、中營營官秦國祿、淸江營營官俞晟、向導營營官孫昌國等，再具體商定明日火攻細節。

第二天，湘勇水師分四隊，與周國虞兄弟指揮的太平軍水師擺開了陣勢。第一隊由白人虎率領二十條快蟹，每條快蟹上架設一個爐灶，爐灶上安一口直徑五尺的龍頭大鍋，鍋裏裝滿茶油，油中放著棉紗，船尾堆滿劈柴。鍋旁有七八個勇丁，人人手裏拿著劈山斧、鐵鉗，鍋邊立著三個大鐵墩。船頭船尾另站三十名弓箭手。第一隊的任務是燒砍鐵鎖。第二隊由彭玉麟親自帶領，集中一百條戰船。船上裝著浸滿油的火把和幾十個不封口的布袋，每個布袋裏裝半袋黃豆。湘勇們都不知黃豆作什麼用，只是遵命執行。一百條戰船上載著二千名精壯水勇。第二隊的任務是保護燒砍鐵鎖的那二十條快蟹。第三隊由楊載福帶領，也是一百條戰船，二千號水勇，船上也裝滿火把、黃豆，這隊的任務是在鐵鎖斷後，猛衝過去。第四隊由李孟羣率領，保護老營和輜重船隻。

由於半壁山和富池鎮陸營的失利，太平軍水師的情緒受到波動。少數人鑒於武漢戰役的失敗，對湘勇有一種畏懼感。這兩天，水營逃跑上百人。國虞、國材、國賢兄弟梭巡在江面上，鼓勵士氣。多數人相信這六根鐵鎖的威力，必定可以將湘勇的船隻攔住。論人數，太平軍水師雖有六千，但武昌新敗，戰船被焚毀一半，船上的火炮，彈藥也丟失。倉促之間，在蘄州至田鎮一帶搜集二百多隻漁船，強拉來作爲補充，畢竟作不了大用場。人員也有一半是從陸營中臨時調來的，幾乎沒有受過訓練。在裝備條件和人員素質上，太平軍明顯不如湘勇，唯一可仗的是橫在江面上的六根鐵鎖。周國虞清楚這一切，心裏也頗爲擔憂。他自己守衞中間一段，國材守北段，國賢守南段。吃過早飯後，遠遠地看到上游黑壓壓一片，像烏雲似地壓過來。周國虞吩咐打出準備迎戰的令旗，下令不待湘勇船立穩，便先下手。

白人虎指揮的第一隊順流飛一般下來了。白人虎是華容人，家中饒富，從小強悍不羈，不喜念書，專好棍棒拳擊。戰火在湖南燒起後，他認爲立功當前、顯親揚名的時候到了，便捐資募勇。湘勇水師過洞庭湖時，白人虎率部投軍，曾國藩命他組建澄海營。這次他受命作先鋒，一心要拿個頭功。他戴著鐵盔，身穿布滿銅釘的戰袍，手執一杆長槍，昂然立在第一條船上。

白人虎的船離鐵鎖只有二十丈了，周國虞手一揮，守衞在鐵鎖邊的水手們便紛紛射出箭來，快蟹上的湘勇不少人中箭落水。白人虎輪起長槍，一邊擋箭，一邊高喊：「不要怕，向前衝！」

船頭船側的藤牌一齊高舉，圍成一道牆，槳手死命划著，船在艱難中向前進。彭玉麟的第二隊也趕到了，急忙向太平軍的船和排上扔火把，太平軍的火把也向這邊丟，許多火把在空中相遇，一起掉進江中。彭玉麟命令，將未封口的布袋用手絞緊缺口，向太平軍的船頭扔去。這些布袋一落到對方的船上，黃豆便從袋裏滾出。太平軍水手們先還不知袋子裏裝的何物，待一看是黃豆時，便一個個叫苦不迭。原來，這些黃豆很快撒滿船頭、甲板和船艙裏，人踩在上面，猶如脚踏滾輪一般，立即摔倒，再爬起，又摔下去。太平軍船上，水手們一個接一個倒下，湘勇拍掌狂笑：「倒了，倒了！」

周國虞氣得咬牙切齒。就在太平軍水手們成批跌倒的時候，燃燒著的火把一齊從湘勇船上飛過來。船被燒著，熊熊火起，如幾團火球在江面滾動。楊載福的第三隊也趁勢趕到。箭在飛，火在燒，刀槍相碰，鼓角雷鳴。湘勇為升官發財，個個不顧生死，凶狠猙獰；太平軍為活命謀生，人人奮勇硬鬥，强蠻頑梗。鐵鎖上游爆發一場亘古未見的惡仗，只見雙方死傷的人一個個掉進水中，未死的在江浪裏掙扎，已死的隨波逐流，江水已被鮮血染紅。半壁山似在低首垂淚，長江水也在嗚咽悲號。

這時，白人虎乘機將船划到鐵鎖邊，龍頭大鍋裏的茶油早已燒得沸騰，點上火「砰」的一聲，彷彿酷日跌進鍋裏，火光衝天，烈焰騰空而起，湘勇們忍受著炙人的高溫，將鐵鎖拉進火焰裏鍛燒。另外十九條快蟹也划到鐵鎖邊，船上的大鍋一齊點著火。鍋旁的勇丁，個個被烟火熏得火辣辣、暈乎乎地，汗水如大雨般將全身浸濕，他們乾脆把上衣全部脫光，露出油光黑亮的胸脯，魔鬼似地在鍋旁火中晃動。一個年輕的湘勇被熱氣熏得頭暈目眩，忽地一陣發黑，一頭栽進鍋裏，立即被滾油烈火燒得血肉模糊，發出一股惡臭。鍋旁的湘勇同時驚叫著，本能地向後退。白人虎一個箭步衝到鍋邊，雙手抓起死者僵硬的雙足，猛地一拖，拖出一個無頭無肩的半截人來，順勢往江中一丟，用長槍指著後退的湘勇吼道：「繼續燒，誰敢逃，就戳死在這裏！」

那幾個勇丁只得重圍在鍋旁，用鐵鉗夾著鐵鎖在鍋上燒。看看鐵鎖燒得差不多了，白人虎命令將鐵鎖夾到鐵墩上，幾個手拿大斧的人奮力劈砍。砍了幾斧，居然斷了！滿船一齊喝彩。白人虎立在船頭，高喊：「鐵鎖燒斷了，弟兄們加油啊！」

周國材正帶著北岸的船隊過來支援，見白人虎耀武揚威地亂叫，氣得肺都炸了，他彎弓搭箭，「嗖」地一聲射過來，正中白人虎的左目。白人虎慘叫一聲，從船頭栽進水中，湘勇們眼睜睜地看著他被江浪捲走，誰也不想救，也不能去救。定湘營營官段瑩器與白人虎是至交好友，見白人虎被射死，便指揮戰船向周國材駛來。快要靠近的時候，段瑩器惡狠狠地叫了一聲，飛身跳到國材的船上，掄起手中大刀，向國材撲來，隨後又有幾個不怕死的湘勇也跳過船。周國材沒料到湘勇這般凶悍，幾個膽小的兵士嚇得直往艙裏躲。周國材揮刀迎戰。段瑩器出身船夫，自投湘勇以來，就是憑借著敢打敢鬥爬上營官的位置。現在一要為好友報仇，二又仗著湘勇已占上風的勢頭愈戰愈勇，周國材船上功夫本來欠佳，船一晃動，一身本事使不出來。鬥了十多個回合，可憐一個忠良之後，竟成了段瑩器的刀下之鬼。段瑩器殺得性起，又砍倒幾個，再拿起火把，從船頭到船尾放起火來，最後又縱身跳回自己的船。就在這個時候，鐵鎖又有好幾處被燒化砍斷，楊載福指揮第三隊按預定計劃猛衝過去。楊載福殺得眼紅，將衣帽全部脫去，僅穿一條短褲在船頭指揮。第三隊二千湘勇水師見楊載福如此，一齊脫去衣帽，亂呼亂叫，為自己助威壯膽。他們順流東下，遇船便燒，見人就殺，轉瞬間船到武穴，天忽然轉起東風來。楊載福鬥志甚旺，命令所有戰船掉頭回駛，借著東風再殺回田家鎮。彭玉麟指揮第二隊向下衝。彭楊兩隊將太平軍水師夾在中間。

北岸桂明、多隆阿見江上火起，知中路水師已發起進攻，也乘機向駐紮在田家鎮上的秦日綱大營猛攻。田鎮上的防兵，兩天前已抽調二千人過江支援半壁山，北岸力量減弱了。桂明、多隆阿的綠營，本不是太平軍的對手。這時因南岸陸師及江面水師的得勢，也增添了勇氣，雙方激戰，勢均力敵。

塔齊布、羅澤南乘勢占住半壁山和富池鎮。安設在半壁山上的炮台，全部被湘勇占領，反過來將火炮一個個向太平軍戰船轟去。從田家鎮到武穴三十里江面上，太平軍水師漸漸處於劣勢。

周國虞氣得暴跳如雷，他對身旁將士狠狠地叫道：「今日橫豎是死在這裏了，先殺他一百個墊底。」

國賢見二哥戰死，心中非常悲憤，他擔心大哥若再有個三長兩短，自己今後便會孤掌難鳴。他將船移過來，縱身跳到大哥船上，懇切地說：「大哥，南岸已被清妖占領，北岸也正在鏖戰，無法去援助，形勢對我們極不利。好漢不吃眼前虧，咱們先突圍出去吧，留下這血海深仇，日後再報。」

不待大哥分說，國賢將戰船集合起來，帶頭向下游猛衝。段瑩器的船正回頭向上游殺來，恰碰上國賢。國賢見了殺死自己二哥的仇人，怒火中燒。兩船剛要相撞時，國賢冷不防跳了過去，以迅雷不及掩耳之勢，一槍戳進段瑩器的胸膛，再一挑，把他撥下江去。湘勇船上的幾個勇丁正要向國賢撲過來時，國賢又縱身跳了回去。就在這個時候，國虞帶領的戰船被江流沖出十幾丈，水手們一齊放出利箭，壓住後面的追兵，順流向九江方向駛去。

北岸泰日綱、石祥禎見大勢已去，也率部沿通往黃梅方向的大路撤退。至於南岸敗陣的將士，則早已由林紹璋、羅大綱收集，向江西瑞昌方向走了。

經過三個時辰的激戰，湘勇突破田家鎮、半壁山之間橫江鐵鎖，占領了這兩個重要集鎮。這場戰役的結果是：太平軍死了一千二百餘人，除周國虞一隊二十多條戰船冲出外，全部船隻化為灰燼；湘勇也扔下八百餘具屍體，被毀戰船一百多號。

五　委託東征局辦厘局

大戰結束後，曾國藩將部隊集合在田家鎮休整。第一件事便是向朝廷報捷，爲出力最多的幾個將官討封賞，爲陣亡的將官請恤。對於一般的湘勇，曾國藩對其後事的安排也頗爲重視。他懂得優恤死者，可以激勵生者，並在田家鎮上建起一座規模宏大的祠堂，取名爲田鎮昭忠祠。凡哨長以上的將領，都在昭忠祠裏供有神主。哨長以下的勇丁，也將以每人的名字、籍貫、生卒年月刻在石碑上。這樣的石碑共有八個。曾國藩還親自爲昭忠祠題寫一聯：「巨石咽江聲，長鳴今古英雄恨；崇祠彰戰績，永奠湖湘子弟魂。」祠堂落成那天，曾國藩帶領全體營官和幕僚恭恭敬敬地向死在田鎮的亡靈祭奠。在香烟繚繞中，曾國藩充滿感情地頌讀祭文。讀著讀著，他忽然放聲大哭起來，使得所有參加者大受感動。

第二件大事，便是安排楊國棟陪彭玉麟到黃州迎娶楊小姐。在這場火燒鐵鎖的戰役中，彭玉麟功勞最大。曾國藩對他，更增幾分倚重，今後將水師交給此人統帶，是完全可以放心的。

數日後，親兵報湖南巡撫駱秉彰遣東征局郭昆燾、李瀚章等人前來犒軍。東征局是駱秉彰應曾國藩所請，在長沙成立的專爲湘勇服務的後勤部門，由郭昆燾、李瀚章爲頭經辦。李瀚章是刑部郎中、安徽廬州人李文安的長子。李文安是曾國藩的會試同年，對曾國藩的學問很是欽佩。道光二十四年，李文安命次子李鴻章來北京，拜曾國藩為師。李鴻章字少荃，為人最是聰明伶俐，更兼敢作敢為，深得曾國藩的喜歡。第二年，李鴻章中進士入翰林院。咸豐三年，工部侍郎呂賢基在安徽原籍辦團練，知李鴻章能幹，奏請來安徽和他一起辦。前年，李瀚章以拔貢分發湖南。曾國藩相信這個李家子會實心實意為他出力，便將他調來東征局。

曾國藩聽說郭、李二人來到，喜出望外，親自率衆迎接。郭昆燾以平輩之禮見曾國藩。李瀚章正要以晚輩身分行大禮時，曾國藩忙把他一手扶起，口中說：「不須如此」。李瀚章忸怩一番，最後以下屬之禮參拜。曾國藩問：「少荃近來可好？」

「老二上月來信說很不得意，他想到湖北來投奔老師。」

曾國藩聽後哈哈一笑。寒暄畢，郭昆燾說：「往日長沙官場和士紳都說湘勇是相勇，就是木偶勇士，現在，他們都不得不承認是眞正的湖湘勇士了。」

衆皆大笑。曾國藩淒然地說：「為爭得這三點水，湘勇付出了一千多人的代價。」

一句話，說得大家心裏都不好受。過了一會兒，他又自解道：「打仗哪有不死人的道理，我們畢竟爭了這口氣，把三點水奪了回來，也對得起死去的兄弟。」

郭昆燾緊接著說：「正是這話。三湘父老湊集十萬兩銀子，再加上四川解來的六萬、廣東解來的四萬，合起來共二十萬兩，給弟兄慶慶功。」

聽說帶來了這麼多銀子，曾國藩大爲高興。這兩個月來，他爲軍餉之事頗傷腦筋。先以爲武漢攻下後會得到一筆錢，誰知湘勇從營官到勇丁，幾乎個個飽了私囊，大營却沒有得到幾兩銀子，他奏請朝廷飭陝西巡撫王慶雲解銀十四萬，江西巡撫陳啓邁解銀八萬，至今不見分文。尤其是陳啓邁，更令曾國藩氣憤。率師東下，不正是爲了江西嗎？他居然可以無視這支人馬的存在！

「陳啓邁也太過分了。」郭昆燾說「不過，籌餉也眞是難事。百姓一貧如洗，有錢人家的銀子，寧肯被土匪搶去，也不肯捐獻。這十萬兩銀子，還多虧季高兄的苦心經營。」

「百姓也的確是窮到家了。」郭嵩燾嘆息。過一會，他突然問大家：「諸位聽說過雷總憲在揚州抽商賈之稅充軍餉的事嗎？」

衆人有的說聽過，有的說沒聽過。郭嵩燾說：「去年年底，左都御史雷以諴到揚州佐江北大營，眼見營中餉銀奇絀，乃仿漢代算緡之法，對商賈實行十文抽一之稅，聽說每個月可得銀七八萬，江北大營從那以後，再不虞餉銀匱缺。」

「雷總憲實行厘金事，我亦有所風聞。」一直坐在旁邊未開腔的劉蓉說，「聽說現在蘇北關卡林立，百姓怨聲載道，厘金局混進不少貪劣之輩，乘機敲榨勒索，實際上不是十文抽一，而是抽三抽四。這樣的抽法，商賈何能承受得了！我們湖南地方貧瘠，非官商大賈輻輳之區，財富不過敵江蘇一大縣而已。倘若湖南也仿照蘇北設關立卡，怕的是商賈裹步，民不聊生。」

「孟容說的誠然有道理。」郭嵩燾接過劉蓉的話頭，「蘇北厘金對商賈百姓有害，且經營不得人，我們可以前車之覆爲鑒，把事情辦好些。」

「筱荃，你看湖南可以辦厘局嗎？」曾國藩問李瀚章。

「回滌師的話，雷總憲在揚州辦厘金事，晚生亦有所聞。」李瀚章雖未直接拜曾國藩爲師，但他也和二弟一樣，口口聲聲稱曾國藩爲師。他對辦厘金垂涎已久，因爲資望年齡都還不夠，故不敢唐突提出。他以穩重的口吻說，「厘金之事，我久思在湖南推行，只因人微言輕，不敢率爾建言。晚生想，既然軍餉如此缺乏，爲了剪滅長毛的大業，暫時行此權宜之計，亦未嘗不可，關鍵在用人要當，規矩要嚴。」

這話正投曾國藩下懷，他點頭說：「筱荃的話有道理。事出不得已，我看也只有用此下策了。意誠（郭昆燾字）回去跟駱中丞說說，由東征局出面，就先在長沙、湘潭、益陽、常德、岳州、衡州六個地方辦著試試看，切切注意的是，要用眞心實腸的人，絕不能讓私人侵吞這批銀子。否則，我們就無法向三湘父老交代，也愧對天下後世。」

郭昆燾、李瀚章大喜過望，立即滿口答應。大家正說著，荊七過來，對著曾國藩的耳朵悄悄地說：「康福回來了。」

曾國藩站起來，拱拱手說：「諸位繼續談談，我有點要事，失陪了。」

六　康福帶來朝廷絕密

康福的北京之行，除他們二人外，整個湘勇中再無人知道，故曾國藩將會見康福的地點定在臥室，並吩咐荊七：「今晚任何人都不見。」

對於如何向曾國藩報告在京所得的情報，回來的一路上，康福作了深思熟慮。這趟京師之行太重要了，許多機密，在兩湖是永遠無法知道的。如果不了解朝廷的眞實意圖，再好的作爲行事，都有可能成爲瞎碰亂撞。爲此，康福十分佩服曾國藩派他進京的這個決策。康福沒有做過官，不懂官場奧妙。他以爲曾國藩這兩年來拼死拼活組建湘勇，攻克武昌、漢陽，朝廷上下一定會是一片贊揚之聲。誰知大謬不然。那些不利的消息要不要告訴他呢？康福苦惱地想了許多天。最後，他決定和盤托出。康福認爲這才是對曾國藩的眞正忠誠，如果報喜不報憂，反而會誤大事。

「大人，我這次在北京盤桓十天，遵令拜謁了周學士、袁學士。穆中堂患病，我第一次沒見著，第二次再去仍沒見到。穆中堂打發家人送給大人兩個玉球。」康福從包袱中將球拿出。曾國藩看到這兩個熟悉的深綠色和闐玉球，如同見到羸弱憔悴的穆彰阿，一股宦海沉浮難測的悲愴之情湧上心頭，他在心底深深地嘆了一口氣。玉球在曾國藩的手中輕輕滾動兩下後，被擱置在書案上。康福又從包袱裏拿出一幅字來，遞給曾國藩說：「穆中堂還送給大人一張條幅。」

曾國藩忙接過，打開看時，心裏倒抽一口冷氣。原來那條幅赫然寫的是「好漢打脫牙和血吞」八個字，旁邊一行小字，「與滌生賢契共勉」。字迹歪歪斜斜，可以想見書寫者作字的艱難。曾國藩心裏一陣酸楚。他絕沒想到，當年八面威風的恩師，居然會給他送來這樣一行字！是自己失意憤懣心情的發泄，還是對弟子的教誨？

穆彰阿是曾國藩道光十八年會試大總裁。這年，第三次赴京會試的曾國藩中式第三十八名進士，同行的郭嵩燾落榜。殿試下來，國藩取中三甲第四十二名，賜同進士出身。那時，曾國藩用的名字爲曾子城，字伯涵。看完黃榜後，曾國藩心情鬱鬱。按慣例，三甲一般不能進翰林院，分發到各部任主事，或到各省去當縣令，而曾國藩夢寐以求的則是進翰苑。

「筠仙，我們明天就啓程回湖南吧！」曾國藩將書一本本收拾好，心情沉重地說。

「明天就走？」嵩燾大驚。

郭嵩燾尚只二十一歲，又是第一次參加會試，沒有連捷，他並不以爲然。這些天來，他一直爲曾國藩高中而興奮。令曾國藩感動的是，報捷那天，嵩燾特地買了酒菜，祝賀國藩；自己落榜，無半點苦惱。

「伯涵兄，還有朝考哩！」

「不考了。」國藩將最後一本書重重地往箱子裏一扔，「歷來三甲有幾個進翰苑的？我乾脆回家去，等著赴哪個偏遠小縣吧！」

「伯涵兄，那次我們拜訪蘇御史時，他很讚賞你的才華，說若需要他幫忙處，他將盡力而爲。你何不去找找他，他或許有辦法。」

是的，善化蘇崇光是個愛才又結交很廣的人，去求求他！曾國藩抱著一絲希望，來到煤渣胡同蘇府。

「三甲進翰苑的，每科都有幾個。」蘇崇光在聽完曾國藩的話後，沉思一會說，「不過，那幾個破例的人，或是有很硬的後台，或是有萬貫家財。你一個湘鄉縣的農家子弟，一無靠山，二無錢財，要以三甲進翰苑，怕難啊！」

曾國藩一聽，如同掉進冰窟，渾身發冷。「既然這樣，過兩天我就回湖南算了。」他後悔不該到蘇府來。

「慢著。」對曾國藩的才幹，蘇崇光一向清楚，雖然前兩次會試未中，但湘籍京官無人不稱許他。就是這次殿試列三甲，其房師季芝昌也爲之抱屈。蘇崇光久宦京師，閱人甚多，他料定這個農家之子總有一天會大發，不如現在趁其困頓之際助一把。主意一定，蘇崇光拍著曾國藩的肩膀，笑道：「他們憑靠山，憑錢財，你可以憑詩文嘛！」

聽到這句話，曾國藩又如同從冰窟來到溫室，渾身充滿融融暖意。

「老前輩，我的詩文，如果考官不賞識怎麼辦呢？」憑詩文進翰苑，當然是正路，但殿試不也是考的詩文嗎？你寫得再好，主考不喜歡，有什麼辦法？曾國藩緊張地瞪著眼，望著悠悠自得的蘇崇光，聆聽他的下文。

「伯涵，你知道唐代舉子的行卷嗎？」

行卷，是唐代科場中的一種習尚。應舉者在考試前把所作詩文寫成卷軸，投送朝中顯貴，這就叫「行卷」。國藩當然知道，但他沒有幹過。一來國藩與朝中任何顯貴無一面之識，二來他相信自己的場中詩文定然會十分出色，無須行卷。經蘇崇光這一提，曾國藩倒有點悔了，若通過朋友輾轉投送，平日所作詩文，也有可能到達朝中一二顯貴之手。不過，現在已晚了。

「老前輩，殿試都完了，行卷還有什麼用呢？」

「常規行卷固然已晚，但如果你朝考中的詩文，能在閱卷官評定之前，到達一些顯貴名流手中，通過他們來揄揚，事情就好辦了。但時間甚爲倉促，只在一兩天之內就要辦好，此事亦頗棘手。」

曾國藩頓時茅塞大開，興奮地說：「晚生有個辦法，可以讓多人很快就見到我的場中詩文，只是要仰仗老前輩鼎力相助。」

「有什麼好主意？你說吧！」

「晚生從試場出來後，就徑來老前輩府上。請老前輩幫我叫十個抄手，備十匹快馬，把我的場中詩文立時謄抄十份，火速分送十位前輩大人，請他們幫忙。」

「好主意，就這樣辦。」

朝考一結束，曾國藩顧不得休息吃飯，立即趕到煤渣胡同，蘇崇光早已安排好一切。次日傍晚，主持朝考的大學士穆彰阿和各位考官，都從四處聽到三甲同進士湖南曾子城的詩文甚是出色。穆彰阿特地調來試卷，先看他的策論。策論命題爲《烹阿封即墨論》。文章的開頭，便引起穆彰阿的興趣：「夫人君者，不能遍知天下事，則不能不委任賢大夫；大夫之賢否，又不能遍知，則不能不信諸左右。然而左右之所譽，或未必遂爲藎臣；左右之所毀，或未必遂非良吏。」「立論穩妥，是廊廟之言。」穆彰阿邊看邊想，一直讀下去。當讀到「若夫賢臣在職，往往有介介之節，無赫赫之名，不立異以徇物，不違道以干時」時，更是心許。穆彰阿才地平平，朝野中外詆毀者不少。道光帝有次婉轉責問他：「卿在位多年，何以無大功大名？」穆彰阿回答：「自古賢臣順時而動，不標新立異，不求一己之赫赫名望，只求君王省心，百姓安寧。」曾國藩的這番議論，說到穆彰阿的心坎上，眞可謂不相識的知己。穆彰阿主持過多次會試，閱過數千份試卷，大凡年輕新中進士，幾乎個個心高氣傲，口出大言，唯獨此人不這樣，難得！他當即圈定曾國藩爲翰林院庶吉士。排名次時，列爲一等第三名。名單進呈道光帝時，穆彰阿又特地在皇上面前，將曾國藩詩文大爲稱讚一番。道光帝拿過《烹阿封即墨論》，粗粗讀了幾句，頗覺清通明達，於是用朱筆將名字由第三名劃在第二名。

曾國藩感激蘇崇光，更感激穆彰阿。當晚，曾國藩便去拜謁穆彰阿。

穆彰阿在書房裏客氣地接見這位新門生。曾國藩步履穩重，舉止端莊，甚合穆彰阿之意。寒暄畢，穆彰阿說：「足下以三甲進翰苑，實不容易。老夫讀足下詩文，以爲足下勤實有過人之處，然天賦却只有中人之資。但自古成大事立大功者，並不靠天賦，靠的是勤實。翰苑爲國家人才集中之地。雍正爺說過：國家建官分職，於翰林之選，尤爲慎重，必人品端方，學問純粹，始爲無忝厥職，所以培館閣人才，儲公輔之器。足下一生事業都從此地發祥，願好自爲之。」

穆彰阿這幾句話，對曾國藩來說，好比醍醐灌頂，旣實在，又寄與厚望。遇到這樣一位恩師，眞是最大的福氣。大恩大德，將何以報答？國藩含著熱淚，用著近於顫抖的聲音說：「中堂大人，門生永遠銘記您山高海深般的恩情，銘記您今晚的諄諄敎誨，做一個對國家有用的人才，報答您對門生的知遇之恩。」

穆彰阿對曾國藩的感激很是滿意。他是一個閱世甚深的老官僚，憑他的觀察，知道這個湖南鄉下人的這番話，是發自內心的。這種出自邊鄙的人，一旦確定一種信念，產生一種情感，便會終生不渝；而那些出自官宦之家，生於通都大邑的闊少爺，盡管說起話來滔滔不絕，發起誓來指天畫地，但他們的感情，大多來得快，去得也快，表演的成分多，實在的東西少。穆彰阿微笑地望著曾國藩說：「我想問足下一件國事，你盡管按自己的想法談。」

曾國藩對穆彰阿如此信任自己，感到誠惶誠恐。他戰戰兢兢地回答：「不知中堂大人要垂詢何事？門生長年處於偏遠之地，見聞一向淺陋，只恐有辱下問。」

穆彰阿隨手從茶几上拿起兩個深綠色和闐玉球，站起身，平穩地走了十幾步，又坐了下來，謙和地望著曾國藩微笑，玉球始終在手上圓熟地滾動。穆彰阿的這種宰輔風度，令曾國藩傾倒。

「不要緊，隨便談談。這幾年，英夷在我東南海疆一帶尋事生非。去年，其東印度司令馬他侖率領兵船在廣州海口揚威耀武，老夫荷蒙皇上信任，權中樞之職，內事好辦，唯有對英夷之侵犯，深感難於處置。今夜無他人，老夫想聽聽足下的意見。」

穆彰阿此時並非已知曾國藩有處理軍國大事的才能，只是早聞朝野對自己辦理夷務嘖有煩言，各省進京舉子中有些是清流派的中堅力量，他想透過與曾國藩的談話，來試探一下應試舉子們，尤其是考中的進士們對他舉措的評價。曾國藩知道穆彰阿對外的態度一貫柔軟，這種態度遭到不少血氣方剛的舉子的痛責。在這些人面前，曾國藩有時也附和一兩句。不過他的對外態度，基本上和穆彰阿是一致的。今天正好當面對這位恩師傾吐自己的意見：「中堂大人在上，這樣大的國事，您能下問門生後進小子，使門生受寵若驚。中堂大人既然如此信任門生，門生就將心裏話直說吧！」

穆彰阿暗思：聽這口氣，此人莫非亦是那批激進少年？難道看錯人了？

「中堂大人，這幾年英夷向我天朝大肆傾銷鴉片，害我人民，吞我白銀，對我中國犯下大罪，且陳兵海疆，意欲威脅，更無恥之尤。」話一說出口，曾國藩就不再拘謹了，他侃侃而談，「中堂大人受朝廷重託，以懷柔之策處理之。對於此種舉措，門生在湖南時，也曾聽到有人非難，這次來到京師，又聽到外省舉子中有講閒話的。但門生却以爲這班人貌爲愛國，其實對國事不負責任，不明事理，最終將墮爲清談誤國之輩，對於中堂大人老成謀國之苦心全然不知。」

穆彰阿聽到這裏，已明白曾國藩的意思，心中很感欣慰：這個人是看準了。

「請說下去。」

受到鼓勵，曾國藩索性來個慷慨激昂：「自南宋以來，君子好詆和局，以主戰博愛國美名之風興起，而控御夷狄之道絕於天下者五百年矣。今之英夷，船堅炮利，國力強盛，更非歷來入侵夷狄可比。我朝宜開放碼頭，與之交易，以行和撫之策爲上。若憑一時意氣，妄開邊衅，以今日中國之船炮，門生以爲，不可能全勝英夷；既不可全勝，又勞民傷財，國家不寧，故居樞垣者，當以國家千秋大局爲重，決不可憑一時意氣辦事。門生深爲欽佩大人慮遠謀深，以國事為重的宰相氣度。我朝與英夷交往，應持一種忠信態度。聖人云：言忠信，行篤敬，雖蠻貊之邦行矣。門生以為，與夷狄相往來，忠信篤敬是基礎。至於鴉片一事，宜與英夷講妥，此種東西不能作為正常貿易品。對內，則給予勾結英夷，私販鴉片，從中牟取暴利的官民，以嚴刑峻法，那些吸食者，亦要加以從重處罰。只要我們自己內部嚴行禁絕，門生想，英夷之鴉片在中國市場上就會自然消除，此為釜底抽薪之策。而與英夷作刀兵交鋒，不過是揚湯止沸罷了。」

穆彰阿十分欣賞曾國藩的這番議論。他目睹這位厚貌深容的新翰林，覺得他是自己門生中最有才幹最有識見的人，前途不可限量。穆彰阿停下手中的玉球，說：「足下對國事思之甚深，足見足下器識非比一般。請問，足下的名字是誰給你起的？」

「是門生的曾祖父起的。」穆彰阿搖搖頭說：「『子城』，這個名字小氣了點。若足下不在意的話，老夫替你改個名字如何？」

聽說大學士要給自己給名，曾國藩欣喜過望，趕緊說：「請恩師賜與。」

穆彰阿注視曾國藩良久，鄭重其事地說：「足下今為翰林，我朝宰輔之臣大半出於此地，足下切莫以一名士才子自限，而要立志做國家的棟樑之材。老夫想足下當改名為國藩，取做國家藩籬之意。足下以為如何？」

「謝恩師賞賜。門生從今日起改名曾國藩！」曾國藩離開座位，在穆彰阿面前跪下，恭恭敬敬地磕了一個頭。

穆彰阿任軍機大臣已十餘年，門生故吏遍天下，曾國藩萬分慶幸能得到他的如此垂青。「朝中有人好做官」，曾國藩一直最犯愁的便是朝中無人。現在終於找到了靠山，而且是最可靠的靠山。春日明媚，春風駘蕩，春闈順遂的荷葉塘世代農家子弟，決心既要充分利用一切可用的外在條件，又要紮紮實實地積蓄學問、鍛鍊才幹，在這個最高的權力角逐場中，經過二十年三十年的奮鬥，擊敗所有的競爭對手，登上人臣的權力頂峯——大學士的寶座。

皇天不負苦心人。有穆彰阿的存心籠絡，再加上後來唐鑑的實心揄揚，曾國藩仕途一帆風順，幾年功夫，便已遷升為從四品銜翰林院侍講學士。曾國藩名位漸顯，爲人却更加謙虛謹愼，門祚鼎盛，每以盈滿爲戒，遂將書房命名爲「求缺齋」，時時提醒自己。

「曾國藩，朕聞你的書房名爲『求缺齋』，是何意？」一次侍講完畢，道光帝問曾國藩。

曾國藩答：「臣今年三十七歲，上有祖父母、父母椿萱重慶，下有弟妹、妻兒俱全，臣又荷蒙皇恩，供職翰苑。臣思自身是何等愚賤之輩，居然能享此罕見天倫之樂。此生足矣，夫復何求！遂自命書房爲『求缺齋』，取求全於堂上，而求缺於己身之意也。」

道光帝聽畢，頻頻頷首。道光帝是個極重天倫的人。他沒有想到在自己身邊的四品銜臣僚中，尚有祖父母、父母、弟妹妻子一應俱全的福人。他爲此深感欣慰，以爲是自己的仁德感召天地，降此福人。道光帝已經六十多歲了，他近來考慮得最多的是自己百年以後的事。道光帝有九個阿哥。大阿哥早年夭亡，七、八、九阿哥均年幼，二、三、四、五、六阿哥中唯有四阿哥奕濘、六阿哥奕沂最得他的歡喜。奕濘平實，奕沂聰敏，誰來繼承大統呢？他想了一個點子。正是春暖花開時，道光帝先天下詔：明日到南苑射獵，能去的阿哥都隨侍。奕濘連夜爲此事請教師傅杜受田。杜受田仔細考慮後，教給奕濘一個計策。第二天傍晚收獵時，道光帝叫各位阿哥自報獵獲數目。奕沂所獲最多，奕濘一矢未發。道光帝奇怪。奕濘奏道：「時方仲春，鳥獸孳育，兒臣不忍傷生以干天和。」道光帝聽後大喜：「吾兒此語，眞帝者之言。」當即立奕濘爲太子。不過，道光帝也清楚，奕濘到底才具平平，且過於仁柔，必定要破格簡拔幾個品行端方、誠實可靠又有才學的人來輔佐他。道光帝想：曾國藩尚只有三十七歲，與其說是天賜與我以福臣，不如說是天賜奕濘以福臣！望著跪在脚下的曾國藩，道光帝輕輕地說：「曾國藩，你明日一早到養性殿來，朕有話要跟你說。」

第二天一早，曾國藩來到養性殿。養性殿是皇宮收藏前代名人字畫的宮殿，皇帝接見臣下，一般不在這裏。守殿的大太監名叫過業大，人稱大公公。國藩與大公公打聲招呼，便端坐在養性殿候駕。一坐整整兩個時辰，時至正午，尚不見召，國藩心中犯疑，請大公公打聽。一會，大公公告訴他：皇上今天不來了，明天在養心殿召見。

曾國藩是個心細的人，他回到家裏，越想此事越蹊蹺。在翰林院當差七年了，受皇上召見也有好幾次，從來沒有遇過這樣的情況，也沒有聽說過有這樣的事。他趕緊套上馬車，去見恩師穆彰阿，請教此中原委。穆彰阿也覺得奇怪。詳細詢問事情的前前後後，和闐玉球在手中滾過百把圈後，他明白了。穆彰阿立即叫僕人帶上三百兩銀子去找大公公，要大公公將養性殿內的陳設，尤其是四壁懸掛的字畫，一幅不漏、一字不漏地抄出。夜間，大公公送來抄單。穆彰阿要曾國藩讀熟記住。

翌日，道光帝在養心殿東閣召見曾國藩。

「朕昨日有事躭擱了，卿在養性殿坐了很長時間，殿裏的字畫都看到了嗎？」

穆彰阿眞是神機妙算！倘若不是背熟了大公公的抄單，曾國藩如何能講淸殿內四壁所懸掛的衆多字畫。

「臣昨日在養性殿候駕時，略爲瀏覽了一下。」

「都有哪些?」

「臣記得殿東壁掛的是隋代展子虔的《遊春圖》，唐閻立本的《步輦圖》，五代顧閎中的《韓熙載夜宴圖》。西壁上掛的是唐韓滉的《五牛圖》，宋郭熙的《窠石平遠圖》，李公麟的《臨書偃放牧圖》，張擇端的《清明上河圖》。南壁掛的是顏、柳、歐、蘇、黃、米、蔡及趙孟頫、董其昌、沈周、文征明、唐寅、仇英、徐渭、華喦等名家的法書。北壁上供奉的乾隆爺大閱圖，是臣最仰慕的。皇爺騎在赤白兩色馬上，身著戎裝，右手握弓，左手挈繮，雄姿英發，眞天神下凡，前代帝王無一人可及！尤其乾隆爺御筆親題的那首五律更是氣魄豪邁，決不是唐宋間那些文人騷客的筆墨所可比擬的。」

「卿可曾背誦得出?」道光帝對曾國藩的對答如流很滿意。

「能。」曾國藩流利地背誦，「八旗子弟兵，健銳此居營。聚處無他誘，勤操自致精。一時看斫陣，異日待干城。亦已收明效，西師頗著名。」

道光帝暗自詫異：此人對事物觀察之細和記憶力之强，非常人可及。好一個不可多得的福人能臣！

不久，道光帝親自主持大考，將曾國藩升授內閣學士，兼禮部侍郎銜。曾國藩驚喜非常。

由從四品驟升從二品，一連升四級。盡管天天巴望著升官，也沒有想到會升遷得這麼快。曾國藩想：十年之間，由進士而得閣學者，惟有房師季芝昌和張小浦及自己三人，湘籍官員中，三十七歲位至二品者，本朝立國二百年來，僅只自己一人。他感激恩師穆彰阿的深厚關懷，感激皇恩浩蕩。是的，沒有穆相，沒有皇上，他這個卑微的荷葉塘農家子，怎麼可能在短短的十年間，便成了朝廷的卿貳之貴！

正當曾國藩緊跟穆彰阿，效忠道光帝的時候，道光帝却龍馭上賓了。皇太子奕濘登位，即咸豐帝。咸豐帝作太子時便厭惡穆彰阿在朝中拉派結黨，即位不久，就撤了穆彰阿的一切職務，强令致仕。曾國藩因爲謹愼，並沒有被咸豐帝目爲穆黨，仍給予信任。但曾國藩却自此失去了一個强有力的靠山。在京中時，曾國藩也悄悄到穆府去過幾次。他永遠感激穆彰阿的恩德。這次派康福去穆府，固然是去詢問消息，也是要康福代他去看望看望。沒有想到，兩年多不見，恩師已衰弱至此！曾國藩心裏覺得冷冰冰的。

康福見兩個玉球、一幅字，便使曾國藩沉思這樣久，很有點納悶，他不敢貿然動問，只得在一旁呆立著。

「僑人，你慢慢細細地講，不要怕囉嗦，越詳細越好。」好半天，曾國藩才回過神來，親自將條幅卷好，放進行箱，然後對康福說。

這兩句話打消了康福的顧慮，他緩緩地說：

「除開周、袁二位大人外，我還見了我的兩位遠房親戚，也聽到一些議論。」

「他們在哪個衙門？」從沒聽說過康福有親戚在北京，曾國藩有點奇怪。

「我哪有在衙門裏做事的闊親戚。」康福苦笑一下說，「一個在崇文門外開南貨店，是我共太公的堂兄的內弟。一個在前門外大柵欄開一家小藥店，是我母親娘家的族弟。」

曾國藩禁不住在心裏笑起來：原來是這樣遠的瓜蔓親，難怪康福不曾提過。

「這種親戚，從我個人來說，實在沒有走動的必要，但我想了解一下京師下層百姓對湘勇的看法，問問他們還是合適的。」

曾國藩輕輕地點頭贊許。康福繼續說下去：

「當我到了京城的時候，武昌、漢陽同日克復的捷報先已到了。我的表兄表舅對大人和湘勇的戰績讚不絕口。表兄說：『到底還是我們湖南人厲害。』表舅還得意地說他見過大人，那年大公子生病，他親自送藥到府上，說大人是當今的郭子儀。」

「說得過頭了。」曾國藩嘴上謙虛，心裏却樂滋滋的。不要小看這幾句話，還是京師的輿論啊！

康福喝了一口茶，又說下去：「我那晚去拜訪周學士，恰逢家中有客，周學士留下大人給他的信，要我明晚再去。第二夜我又到周府。學士甚是客氣，看得出，那是一位豪爽曠達、極好相處的人。」

康福對周壽昌的評價，使曾國藩略感意外。自從周壽昌那次在妓院喝花酒後，曾國藩就不喜歡他了，認定他是一個風流放蕩的才子，像杜牧、唐寅那樣，不是一個成大器的人物。只是上次周壽昌給郭嵩燾來信，談到奕沂、肅順薦舉的事，才使得曾國藩覺得他也還重友情，講義氣。於是主動給他去了信，周壽昌也回了信，二人重歸和好。至於周壽昌的豪爽曠達、極好相處這些特點，曾國藩先前注意不夠，經康福一提，想一想，也的確如此。他想：平素總自詡會識人用人，白跟周壽昌相處這麼多年了，竟不如康福一面之交看得準確！

「周學士說，他對大人一向尊敬。過去只著重大人的道德文章，沒有發現大人的軍事才幹。周學士說，大人眞正有經天緯地、安邦定國之才，大人既想打聽朝中之事，他把與大人有關的情況，就所知的，全部說出來，要我回來告訴大人，好使心中有數。」

「荇農知道許多內情。」曾國藩預感有些不祥，兩隻眼睛專注地望著康福，聽他的下文。

康福說：「周學士從一位王爺那裏聽到一件極機密的事。」

曾國藩心裏緊縮起來。

「那天，皇上正在養心殿東閣批閱奏章，內奏事處送來武昌、漢陽克復的捷報。皇上看後，高興地離開座位站起，大聲說：『想不到曾國藩一介書生竟然建此殊勛，朕要重重地賞他。』，立刻吩咐內閣擬旨。內閣擬好後呈上，皇上親自添了一句：『曾國藩著賞給二品頂戴，署理湖北巡撫，並加恩賞戴花翎。』內閣將聖旨由兵部用火票遞出。第二天，大學士祁雋藻見皇上。皇上又在祁雋藻面前竭力誇奬大人，並說那年幸虧他出班說情，不然眞會寃枉了忠臣。誰知祁雋藻那昏老頭，不僅不爲大人說話，反而，」康福說到這裏，猶豫了一下。

「反而什麼，說下去。」

「祁雋藻反而說：『曾國藩不過一在籍侍郎，獨匹夫耳。匹夫居閭里，一呼百應，恐非朝廷之福。』」

「這個老夫子，怎麼說出這種話來，豈不是越活越糊塗！」曾國藩在心裏狠狠地罵道。

康福見曾國藩臉色不悅，便借喝茶的機會停了下來。

「皇上聽了這話如何呢？」曾國藩追問。

「周學士講，祁雋藻這麼一說，皇上像是被提醒了似的，說：『老先生老成謀國，忠心可嘉。朕一時高興，沒有想到這一層。看來曾國藩不宜署理湖北巡撫。』祁雋藻說：『老臣今日正爲此事而來。我朝制度，兵皆世業，將皆調補，士兵本身登於國家名冊，家口載於兵籍，尺籍伍符，兵部按戶可稽，國家對於將弁，銓選調補，操於兵部，故軍隊歸於中央。雖然白蓮教造反時，各省都組織鄉勇，但只是捍衞鄉里，剿匪安境而已，人員也不過數十上百。現在曾國藩的勇丁已達二萬，勇由將募，將聽曾國藩之令。這二萬人馬，已變成聽命於曾國藩一人之令的軍隊。皇上想過沒有，現在再授與曾國藩巡撫之職，握有地方實權，後果將會如何？皇上，古話說得好：水能載舟，也能覆舟啊！』皇上明白祁雋藻的意思，說：『那就收回成命，賞他一個兵部侍郎銜吧！』」

原來如此！過了好一陣，他才問康福：「荇農這個消息可靠嗎？」

「周學士說，這是王爺親口對他說的，絕對可靠。」

「荇農還說了些什麼？」曾國藩强壓住滿腔憤懣，停了片刻後又問。

「周學士說，也是武昌攻克之後不久，皇上有次在南書房，當著潘祖蔭等一批値班翰林說，現在江北大營圍江寧之北，江南大營圍江寧之南，桂明、多隆阿的軍隊從長江北岸向江寧進攻，曾國藩的湘勇從長江南岸和江面上向江寧開進。朕已布置四路大軍將江寧包圍住了，誰先攻下江寧，活捉賊首，朕便封他爲王。』」

「皇上眞的這樣說過？」曾國藩對此表示懷疑。自平定三藩之亂後，清朝歷代再也不封漢人爲王。難道是皇上忘記了祖制？還是皇上鑒於長毛氣勢猖獗，難以平定，特爲破格懸此重賞？抑或是皇上斷定自己這個四路大軍統帥中的唯一漢人，不能最先攻下江寧？

「周學士說，皇上的確這樣說過，當時聽到這話的有好幾個翰林學士。而且，袁大人也知道有這事。」

如同一個古董愛好者的眼前忽然出現了商周彝鼎，曾國藩周身滾過一陣熱浪，兩隻三角眼炯炯發光。大丈夫生當封萬戶侯。現在豈只是侯，只要努力，竟然可以得到一人之下、萬人之上的王的尊貴了。這個荷葉塘的世代農家之子，哪怕是最狂熱的時候，也都沒敢企望達這一步。他在心裏暗暗下定決心：只要能先克江寧，受封王爵，眼前和今後的所有艱苦委屈，甚至是侮辱，都要忍受下來。這樣一想，剛才的憤懣差不多立即化光。他換了一種輕鬆的口吻問：「漱六身體怎樣？還是肥肥胖胖的？」漱六是他對親家湘潭袁芳瑛的暱稱。

「袁學士的確很胖。他要我告訴大人，他已外放蘇州知府，不久就要離京赴任了。」

「漱六眞正好福氣。上有天堂，下有蘇杭，如果放我去當幾天蘇州知府，這一生也不枉過了。」曾國藩心情一開朗，說話也有風趣了。

「袁學士的太太還送給夫人一段衣料，送給大小姐一對金手鐲，都放在包裏，等一下一併拿出來。」

「你剛才說，漱六也知道皇上講的那句話，他還給你講了些什麼？」曾國藩對夫人的衣料、女兒的首飾毫無興趣，他關心的是朝廷對他和湘勇的看法。

「袁學士對此事比周學士還了解得多些。袁學士說，皇上在南書房裏說的話，立刻被傳了出來，大家都在議論這件事。據說幾天後，科爾沁親王僧格林沁對皇上說，皇上將最高爵位賞給攻下江寧的人，必定對前線是個極大的鼓舞。但他提醒皇上，江北大營是琦善爲首，江南大營是和春爲首，北路大軍是桂明、多隆阿爲統帥，他們都是滿人，若立此蓋世功勛，當然可以封王。但水路和南路是曾部堂在指揮，倘若曾部堂先攻下江寧，若封王又壞了祖制，不封王又失信於天下？皇上說，琦善、和春就在江寧旁邊，當然是他們先攻下江寧。僧王說那不一定，琦善、和春均非成此大功之人，除非皇上對南北兩大營再增兵加餉。袁學士說，從那以後，朝廷事事優待南北兩大營。袁學士對此頗爲氣憤，說：皇上是想漢人出力，滿人封王。」

袁芳瑛的話使曾國藩大爲震動，難怪陝西、江西的協餉至今未到，難道是朝廷把它調給了江南、江北兩大營？一股委屈的情緒襲上心頭。

「袁胖子這個人就喜歡信口開河，將來會在這點上吃虧的。」說的當然是眞話，但這樣的眞話豈是隨便可說的！曾國藩很爲自己這位言行不甚檢點的親家擔心。

「袁學士還跟我說了一件絕密的事。」

「什麼事？」盡管曾國藩聽到這些話後時憂時喜，但這些消息的確是太重要了。聽說又有一樁絕密事，曾國藩禁不住神情竦然起來。

「袁學士講，那是湘勇尚未出湖南境內時，一日，皇上忽然召見他，袁學士頗爲緊張地來到懋勤殿。皇上問：『你和曾國藩是親家。』袁學士答了聲『是的』，心裏想，皇上怎麼會知道？皇上又問：『有人說，曾國藩在衡州練勇，接受王夫之後人送的寶劍，而這把劍是前明永歷所賜，王夫之曾持此劍與我南下大軍爲敵。你知道這事嗎？』袁學士對我說，他當時聽到皇上的發問，渾身流汗，內衣都濕透了，心裏又驚又怕。這是哪個龜孫子告的密？若皇上存心追究，加上一個謀反的罪名都有可能。王夫之後人贈劍的事，他一無所知。袁學士說：幸而他曾經訪問過王夫之後人之故居，知道王氏家藏的這把寶劍的來歷，於是他對皇上說：『曾國藩受沒有受王夫之後人所送的劍，這事我不知道。但有一點我清楚，藏在王夫之故居的那把劍，並不是永歷贈給王夫之的，而是洪武賜給王夫之祖上的。』皇上問：『你怎麼知道？』袁學士答：『臣是湖南湘潭人，湘潭離衡州只有兩百餘里。臣少時在衡州讀書多年，到過王夫之故居，見過這把劍，並且從王夫之後人那裏打聽這把劍的來歷。』袁學士說：『既不是永歷賜給王夫之的，那這事就不消過問了。』袁學士說：『皇上聖明。據臣所知，王夫之雖然作過前明的臣子，他後來還是擁護我大清的，故康熙爺贈米給他，死後還被宣付國史館立傳，乾隆爺修四庫全書時，還收了他的四部著作。曾國藩乃一荊楚下士，蒙兩朝聖恩，才有今日的地位。其耿耿忠心，皇上是知道的。何況此劍並非王夫之的，即便是王夫之的，也不能據此面對他的忠心有所懷疑。臣聽說曾國藩在湖南練勇，艱苦備嘗，其爲人剛正廉明，疾惡如仇，在湖南得罪不少人，或許有人挾嫌亦未可知。祈皇上明察。』皇上稱讚袁學士奏對得體，沒有再問下去了。袁學士對我說，挾嫌之人很可能就是陶恩培。此人慣行的手段是用重金收買京官，又最喜歡向朝廷上密摺。衡州知府陸傳應是他的心腹，船山後人贈劍事，多半是陸傳應得知後，再告訴陶恩培，陶恩培再密告皇上的。袁學士又說，德音杭布極有可能是僧格林沁等滿蒙親貴安置在湘勇中的密探，要大人加倍提防。」

康福一直談到半夜才離開。下半夜，曾國藩一直未眠。兩件大惑不解的事總算有了解答。

衡州出師之日所受到的降二級處分，改署撫爲兵部侍郎銜，原來都事出有因。這些事，年輕的王闓運看得透徹，自己有時反而不清醒。他深悔不該接受王世全所贈之劍，那時只想到這是攻克江寧的吉兆，却沒有料到會授仇人怨家以把柄。好危險啊，若不是袁漱六能言善辯，豈不招致巨禍！『人無遠慮，必有近憂』，曾國藩反復默念先哲的格言，彷彿覺得今夜長進了很多。他從心裏佩服皇上的聖明，感激皇上的信任，對皇上優待江北江南大營，也寬懷釋然了。曾國藩發誓，今生今世要竭忠盡力爲國效勞，以報答兩朝聖主的知遇之恩。轉念，他又想：皇上還年輕，識人和治國的經驗都不夠，難保今後沒有人在他面前再進讒言。尤其是那批滿蒙貴族，對漢人從來就抱有深刻的偏見，對手握重兵的漢人更不放心，皇上也最聽得進他們的話。歷史上帶兵在外的將帥，爲取信君王，有劉秀遣子侄於朝、王翦索賞田園以示無大志的先例。曾國藩想，到一定時候，這些都可以仿效。而眼下先要皇上面前建立一個謙虛謹慎、不居功不自恃的形象。他走到書案前，抽出一張紙來，給皇上擬了一道奏摺：

臣奉命援鄂皖，肅清江面，豈不知艱大之責，非臣愚所能勝任。只以東南數省大局糜爛，凡爲臣子，至此無論有職無職，有才無才，皆當畢力竭誠，以圖補救於萬一。遂自忘其愚陋，日夜愁思，冀收天下之效。然守制未終，臣之方寸，常負疚於神明。雖治軍近兩年，平日墨絰素冠，常如禮廬之日，而奪情視事，此心終難自安。日前田鎮大捷，皆臣塔齊布、羅澤南、彭玉麟、桂明、多隆阿等人之功，微臣毫無勞績。刻下臣擬會同水陸兩路，向九江進發。嗣後湖南之勇，或得克復城池，再立功績，無論何項褒榮，何項議敍，微臣概不敢受。伏求聖上俯鑒愚忱。倘借皇上訓誨，辦理日有起色，江面漸次廓清，即當據實奏明回籍，補行心衷，以達人子之至情，而明微臣之初志。

寫好後，天已放明，曾國藩正準備出門散散步，塔齊布急忙來報：「長毛偽翼王石達開已到江西，在九江、湖口一帶修築堡壘。請大人下令，急速東下。」

第九章　江西受困

一、潯陽樓上，翼王揮毫題詩

早在湘勇團攻武昌的時候，翼王石達開受天王、東王之命，來到安慶主持西征軍務，湘勇即將出湖北下江西的嚴峻時刻，石達開率五千勁旅，從安慶渡江來到九江。翼王雖年紀輕輕，却是個文武全才，且爲人豪爽倜儻重情義，在太平軍中一向有很高威望。翼王達九江後幾天，韋俊、石祥禎、羅大綱、林紹璋等陸路逃散的人馬也陸續從各地來到九江，聚會在翼王旗幟下。

湘勇離開田鎮的消息傳到九江的這天上午，石達開決定親自巡視九江城的防守。

林啓容說：「殿下，我陪你去。」

「不用。」石達開說。「我和韋國宗、紹璋、大綱等人去看看，都穿老百姓的衣服，不易被人發覺。九江城哪個不認識你？你去反而礙事。」

石達開帶著韋俊、石祥禎、林紹璋、羅大綱、周國虞等人，脫掉龍鳳綉袍，穿上青衣布履，走出府門。林啓容安排幾個衞士遠遠跟着。

展現在石達開等人眼中的九江城，已充滿着大仗前夕的嚴重氣氛。街頭巷尾到處響著清脆而迅急的馬蹄聲，一隊隊留着長髮、包着紅、黃兩色頭巾的太平軍士兵，正抬著各種軍需，匆匆地向東南西北城門走去，隊列整齊，表情肅穆，不時可以看見百姓走上來幫士兵的忙。城牆上飄拂着成千上萬面三角蜈蚣旗，全身披掛的將士在上面往來奔走，除開器械碰地時發出的聲響和將官們簡短的命令外，聽不到多少嘈雜的聲音。石達開對九江城忙而不亂的軍事調配感到滿意。這時，他忽然看到城牆上有一個瘦小矯健的人在走動，身影很熟。石達開想起來了，那不是兩年前打長沙時火燒城隍菩薩的勇士嗎！石達開要上城牆去看看此人。

康祿正在指揮十幾個士兵安置一座千斤重炮，回過頭來一眼看見身着平民打扮的羅大綱，忙說：「羅指揮，這裏已基本安排就緒，請你檢查。」

羅大綱笑哈哈地說：「不忙，不忙，你看看誰來了。」

康祿定睛看時，彷彿眼前突然明亮，站在羅指揮身後微笑的不正是翼王嗎？他趕緊跪下叩頭：「卑職拜見翼王殿下，願殿下千歲千千歲！」

石達開叫羅大綱扶起康祿，笑着說：「兩年沒有見到你了，還好嗎？」

康祿正要回答，羅大綱已搶在先了：「翼王，康祿打仗勇敢，現在已是師帥了。」

「好哇！」石達開很是高興，「你現在已指揮兩千多號人了。你要把弟兄們都帶成像你一樣的勇敢，那力量就大了。」

康祿忙說：「謝翼王殿下誇獎，兄弟們打仗都還不錯。」

石達開拍拍康祿的肩膀，說：「看看你這段的城防。」

康祿陪着石達開等人，仔細地查看這段長達一里的防線。石達開見上面安置了三座八百斤、兩座一千斤的大炮，炮筒擦得油黑發亮，炮後堆滿着火藥。兵士們個個精神抖擻，有的在修補磚石，有的在擦刀，更多的在搬運刀槍食品。石達開在心中稱讚。

「康祿。」石達開問緊跟在他身後的年輕師帥，「武昌失守，田鎮兵敗，你以爲原因在哪裏？」

這是個很重要的問題，康祿這些天來也想過，但沒來得及理清。他稍稍思索一下，說：「回稟翼王殿下，卑職以爲主要原因在於輕敵，其次在紀律不嚴明，平素缺乏訓練。」

石達開點頭說：「你說得對。孫子曰知己知彼，百戰不殆。輕敵，實際上就是不知敵。現在跟我們打交道的曾妖湘勇，不同於綠營、八旗，以對待綠營、八旗的方式來對待曾妖湘勇，這就是我們失敗的主要原因。」石達開轉過臉來，向韋俊、石祥禎等人：「你們認爲呢？」

祥禎、韋俊等都贊同翼王的分析。石達開補充道：「曾妖湘勇的最大特點是能打硬仗，我們必須以硬對硬。」

衆人一齊稱是。石達開問康祿：「你這一師兄弟們的士氣如何？」

康祿答：「武昌、田鎮兩次失敗，我師死傷兄弟二百多。前幾天，不少兄弟還在頹喪之中，有的甚至提起湘勇就有點怕。」

「呆種，曾妖的湘勇有什麼可怕的？」林紹璋忍不住在一旁插話。

康祿說：「卑職也訓過他們，勝敗乃兵家之常事，胆怯害怕的不是男子漢。他曾妖頭也是人，我們為何要怕他？湘勇更不必說，先前和我們一樣作田做工，岳州、靖港之役照樣打得他們抱頭鼠竄。吃一虧，長一智，我們會更聰明，還有天父天兄的保祐，曾妖的湘勇哪裏打得過我們！」

「說得好！」石達開鼓勵道：「我看你是個好帶兵人。現在兄弟們的精神好些了嗎？」

「現在好多了。兄弟們都說：翼王親自到九江來指揮打仗，報仇雪恨的日子到了。」

大家興致勃勃地繼續觀看城牆上的防衛，也隨時提出些改進意見，康祿一一記下。

石達開問康祿：「你家裏還有那些人？」

「父母都已過世，唯有一兄。」

羅大綱說：「康祿的胞兄武功文才都極好，只可惜在替曾妖賣力。」

石達開嚴肅地問：「你胞兄叫什麼名字？」

康祿恭敬地回答：「家兄叫康福。」

「祿胞。」康祿以爲翼王會大罵他的哥哥，誰知翼王却以親熱豪放的口吻說，「你想法把福胞叫到我們這裏來，自家兄弟，迷路走錯了道，一概不計較。你就講是我說的，只要投奔天國，過去的事既往不咎，本王將封他爲軍帥，給他帶兵大權，日後立功了，本王向天王保奏他當丞相、檢點。」

康祿趕緊說：「卑職遵命！」

一個月前，與康祿一道投軍的鄰居從沅江下河橋探親後回來告訴康祿，曾國藩爲康福買了三百畝水田，並請鄉鄰王矮爹代爲管理收帳，康福將田產分爲二份，一份記在康祿名下。康祿加入太平軍後，懂了很多道理，他深以哥哥接受曾國藩所賜爲恥，認爲這是不義之財。寫信給王矮爹，說他分文不要。當把這一情況向翼王稟告時，石達開哈哈大笑，「康祿，你也太拘謹了。天下財產都是天父天兄的，人人都有份。曾妖給你哥哥，你哥哥分一半給你，你受之無愧。你想想，你不要，三百畝田的收入就全部歸你哥哥了。你爲何不將你的那份收入接過來，周濟四鄰鄉親呢？」

經翼王點撥，康祿明白過來，他很是欽佩翼王博大的胸懷和高超的見識，立即說：「翼王殿下教導的是，康祿將那一百五十畝水田的收入再要過來，分給下河橋的苦難鄉親。」

「這就對了。康祿，曾妖水陸兩軍已向九江壓來，過兩天就有大仗打，你要督促兄弟們嚴陣以待，再不可輕敵。」石達開又轉臉對韋俊等人說：「我們到市上去看看吧！」

石達開一行下了城牆，信步來到十字街口。盡管氣氛較爲緊張，但市面上的店鋪仍在營業，百姓們在採購著日常生活用品。士兵們也在買東西。他們照價給錢，公平交易，沒有見到强搶擄掠的現象。酒樓茶肆依然人來人往，人們的神情並不驚慌。石達開對林啓容治理九江的戰績不禁佩服起來。他想起近日內傳出天王將要授與自己的長兄次兄以大權的消息，心裏很不是滋味。王長兄次兄只能坐享榮華富貴，他們哪有管理軍國大事的才能呀！而眼下這個林啓容，才眞正是上馬帶兵、下馬治民的人才。是的，待推翻咸豐妖頭、光復全國以後，一定要向天王力薦幾個像林啓容這樣的大才，還要越級提拔像康祿那樣有頭腦有能力的將帥，决不能讓王長兄次兄等庸才占據要津，否則，天國的江山難以永固。

石達開正在思考之間，突然傳來一陣「散開、散開」的威嚴喝令聲，抬頭看時，五匹飛騎已來到十字街口。騎兵跳下馬來，背着大砍刀，滿臉殺氣，百姓自然地散開了。旁邊有人輕聲地說：「太平軍又要殺犯事的弟兄了。」

這時，一隊十餘人的隊伍押着兩個犯人，正向十字街口走來。犯人是一男一女，都只二十多歲年紀。隊伍來到街心，兩個犯人自覺跪下，頭低着，男的陰沉着臉，女的嚶嚶哭泣。石達開聽到旁邊的人在議論：「這一男一女準是一對夫妻，昨夜相會時被抓的。」

「你怎麼知道？或許是通姦吧！」

「我已在這裏看到兩次了，都是規規矩矩的夫妻，眞可憐啦！」

「太平軍的紀律其它都好，就是這條太無人道。」

「是呀！當個太平軍，連老百姓都不如。」

「我原打算去投軍，後知道有這條紀律，我就不敢去了。」

「聽說他們當官的可以睡老婆。」

「當官的也不行，除非當王，像天王、東王、翼王就可以討很多個老婆。」石達開聽到這裏，心裏很難過。他始終不明白，天王、東王爲什麼要制定這樣一條律令。在自己管轄的部屬中，他從來沒有認眞執行過，只是嚴禁通姦、偷情和搞新的男婚女嫁罷了。

隊伍的最後是一位騎馬的軍帥。他凜然地來到街中心，一個兩司馬上前稟報：「大人，犯人已驗明正身，請你下令吧！」

那女人一聽到這話，突然發瘋似地站起，跑到男的身邊，抱着男的大哭。男的也緊緊抱住她，大喊：「么妹，是我害了你！」

兩人哭成一團。士兵們並不過來拉開，軍帥也只是呆呆地看着，不下令，有意讓他們去哭。四周圍觀的百姓紛紛搖頭嘆息。哭了一陣，男的站起來，隨即把女的也扶起來，說：「么妹，我倆二十年後再成夫妻！」

然後朝石達開站的地方走前幾步。羅大綱大吃一驚，輕輕地說：「這不是韋永富嗎？他怎麼這樣糊塗！」

羅大綱異常痛苦，但束手無策，他乾脆閉上雙眼，生怕與韋永富的目光接觸。石祥禎想起跟蠶兒的事，也爲韋永富抱屈。韋俊、周國虞、林紹璋也都看不過去。街中心傳來軍帥的聲音：「韋永富、白么妹，你二人也不要怪我心狠，我也是身不由己，奉命執法罷了。你們死後，我會將你們合葬在一起，好讓你們世世代代爲恩愛夫妻。」

一番話，說得韋永富、白么妹又放聲大哭起來。石達開再也看不下去了，對羅大綱說：「你把那個軍帥叫到對面綢緞舖來，我叫他放掉這兩個人。」

羅大綱巴不得翼王這句話，立刻縱身跳進十字街心，大喊：「刀下留人！」

軍帥先是一怔，見是一個粗黑的百姓，頓時惱怒起來：「你是什麼人？胆敢來犯天王的詔旨、東王的誥諭！」

羅大綱走到軍帥身邊，對着他的耳朵悄悄說了幾句話，軍帥立刻神情肅然，跳下馬來，隨羅大綱走出人圈，進了綢緞鋪。過一會兒，軍帥重新出現在十字街中心，喜氣洋洋地對韋、白二人說：

「永富、么妹，你們眞是三生有幸。翼王訓諭，念你們是初犯，寬恕一次，即刻拿刀上城牆，抗妖保城，立功贖罪。」

韋永富、白么妹不敢相信自己的耳朵，還以爲是在做夢，仍如石頭般地站在原地不動。軍帥下令鬆綁，兩個士兵上前用刀割斷繩索。他們這才知道是眞的，二人跪下，淚流滿面，口裏念道：「翼王殿下，翼王殿下……」

圍觀的百姓也終於弄淸了事情突變的原因，莫不在心裏讚嘆：「還是翼王英明！」人羣中有人喊了句：「翼王在綢緞鋪，我們看他去！」人們立時蜂擁向綢緞鋪，但翼王一行早已走了。

因爲救了韋永富夫妻，石達開心裏高興，當他看到聳立江邊的潯陽樓時，興致勃發，對衆人說：「我們上去喝兩杯吧！」

大家一口氣登上潯陽樓的最高一層，酒保熱情地送上酒菜來。幾杯酒下肚，石祥禎想起三個月內連失武昌、漢陽、蘄州、田家鎮，忽然間悶悶不樂起來。林紹璋、羅大綱、周國虞也跟着情緒低落。尤其是韋俊，他更是心事重重，倒不是因爲武昌、田鎮的失敗，而是因爲前不久接到其兄韋昌輝的密信的緣故。

韋昌輝信裏說，自進小天堂以後，天王沉緬女色，隱居深宮，不問軍政大事，楊秀淸則專橫跋扈，唯我獨尊，重用親信，排斥異己。自己雖名爲北王，實際上不過是楊秀淸一個奴僕而已。前幾天韋的大哥與楊秀淸的妾兄爲爭房屋吵了起來，楊秀淸大怒，將韋的大哥痛打一頓，並交給韋發落。懾於楊秀淸的淫威，也爲了韋氏家族的長遠利益，韋不得不狠心將其大哥處以五馬分屍極刑。韋決心把仇恨埋在心底，等待時機到來，一定要殺掉楊秀淸，報仇雪恨。

韋俊當時看完信後，爲大哥的慘死悲痛欲絕，但也不敢有絲毫表露，深夜將信悄悄銷毀。韋俊是個精細明白人，一年多來，天王和東王的行徑他看得很清楚。他知道，東王會演一齣逼官之戲，只是時間早遲而已，那時免不了有一場大規模的互相殘殺，誰勝誰負很難預料。他深知哥哥韋昌輝的爲人。昌輝雖富有謀略，却器局狹窄，城府太深，楊秀淸加給他的恥辱，他是決不會善罷甘休的。到那時，自己的哥哥捲入了這場內訌，只會促使內訌更激烈，死人更多，即使哥哥站到天王一邊，取得勝利，天國元氣也會大傷，倘若敗在楊秀淸手裏，韋氏全族都要被誅夷，自己雖手握重兵，也難逃椿沙、剝皮、點天灯的噩運。韋俊想到這裏，對韋氏家族的命運，對天國的前途深爲擔憂，兩眼呆呆地望着酒杯，已無心思再喝了。

酒桌上的氣氛低沈，使石達開心中不快。他不知韋俊的心思，以爲他也和祥禎、紹璋等人一樣，是爲前的失敗而痛苦。翼王一向樂觀豁達，不以戰事勝敗爲懷，也不容許這些重要將領們有絲毫悲觀洩氣的心緒。他離席走到窗邊，一股江風吹來，很覺舒心。但見頭上藍天白雲，閃亮耀眼，脚下大江滔滔，一瀉千里，遠望依稀可見匡廬頂峯上的煙雲，近看九江城繁華富庶，人煙稠密。好一派壯麗非凡的山河！翼王從心裏升起一股豪情。他舉杯對衆人說：

「兄弟們，自古打江山的英雄，誰沒有千百次磨難？武昌、田鎭眼下雖落入曾妖之手，但只要我們在九江城下打敗曾妖，收回失地就易如反掌，何須憂愁煩惱！諸位看，這潯陽樓外的江山是何等的壯美。古人詩云：廬山南墜當書案，湓水東來入酒卮。兄弟們，舉起杯子來，爲我們光復河山的大業乾杯！」

被翼王的豪情所感動，石、羅、林、周一齊站起，將杯中酒一飲而盡，韋俊也勉强起身喝了一口。石達開掃了一眼酒樓四壁，冷笑道：「潯陽樓乃江南名樓，各位看它壁上所題的那些歪詩，非粗俗鄙陋，即柔靡頹廢，豈不有汚它的名聲？」

衆人知翼王能詩善文，都說：「你題一首吧，將那些庸作壓下去！」

翼王爽快地答應。羅大綱高叫一聲：「酒保」！酒保慌慌張張跑過來：「客官有何吩咐？」

「拿紙筆來，我們要題詩。」

潯陽樓歷來有題詩的風氣，酒保不以爲怪，立即拿來筆墨。翼王凝神片刻，然後飽醮濃墨，大步走到一塊空白牆壁旁，揮毫疾書：

揚鞭慷慨蒞中原，不爲仇讎不爲恩。
只覺蒼天方憒憒，要憑赤手拯元元。
三年攬轡悲羸馬，萬衆梯山似病猿。
妖氛除時寰宇靖，人間從此無啼痕！

寫完最後一字時，石達開放下筆，銅像般地叉腰佇立在粉壁前。他的身旁已聚集一堆人，大家念著讚嘆着，不時對詩人投來敬意。潯陽樓掌櫃本是個不第秀才，這時從人堆中擠出，恭恭敬敬走到石達開身旁，說：「鄙人乃此樓掌櫃。客官此詩，氣吞山河，聲蓋宇宙，使四壁詩盡皆失色。客官，請留下大名吧！鄙人將派高匠將這首詩拓下制匾，永久掛在這裏。」

石達開見尋陽樓掌櫃說得懇切，便從酒保手裏接過筆，在詩左邊寫下：太平天國左軍主將翼王石達開題」十四個字。掌櫃兩眼睜得大大的，四周人羣也都驚訝不已。掌櫃驀地兩腿跪下，戰戰兢兢的喊着：「翼王殿下千歲，千千歲！」

所有人都跪下，跟着掌櫃喊：「翼王殿下千歲，千千歲！」

石達開也跪下，石祥禎等人不明白翼王此舉的目的，也跟着跪在他後面。石達開眼含淚水，以至誠至敬的神態高聲唱道：「我們讚美上帝。」

九江城裏的百姓在太平軍治理下生活了兩年之久，對太平軍拜上帝的禮節很熟悉，一齊跟着石達開一句一句地唱道，「我們讚美上帝爲天聖父，讚美耶穌爲救世主，讚美聖神風爲聖靈，讚美三位爲合一眞神。」

石達開站起，大家也跟着站起。他激奮昂揚地說：「各位兄弟，九江歸于天國已達兩年，大家在天父天兄的愛撫下，過着幸福的日子。在生快快樂樂，死後靈魂升天堂。現在咸豐妖頭指派曾妖率兵侵犯我們，清妖的戰船即將來到九江。各位兄弟不要害怕，天父天兄隨時都在眷顧我們。天國將士和各位父老一起，誓死保衛九江城，我們不但要把曾妖擊斃在這裏，還要打到北京去，活捉咸豐妖頭，埋葬滿虜丑夷，光復我神州十八省。

石祥禎等人胸中早已燃起了復仇的怒火，羅大綱領著大家高喊：「聽從翼王殿下指揮，誓死保衛九江！」

二　水陸受挫，石達開一敗曾國藩

在由原九江知府衙門改建的太平軍翼王府裏，石達開召集韋俊、石祥禎、林啓容、白暉懷、羅大綱、周國虞等人，商討聚殲曾國藩湘勇的辦法。

韋俊、羅大綱將武昌、田鎮失守的情況向翼王作了滙報，着重强調湘勇水師的凶悍能戰。林啓容說：「我看兩位將軍將曾妖頭抬得太高了。勝敗乃兵家之常，不必因武昌、田鎮之挫而長敵人威風。湘勇的底細我清楚。說來說去，無非是書生加農夫而已。前年在南昌，我已殺得他們丢盔卸甲，若不是江忠源出城救援，羅澤南早已成了我的刀下之鬼。諸位放心，九江、湖口一帶我們已作了牢固防守，現在翼王殿下又親來指揮，我們有五萬人馬在此，曾妖頭插翅也飛不過江西。」

林啓容三十來歲，廣西人，是金田起義的老兄弟，以驍勇善戰聞名全軍。從金田打到天京，林啓容每仗必衝鋒陷陣，每仗結束後都必得升遷。楊秀清對他格外器重，有意加以籠絡，結爲親信。這次西征，天王點了賴漢英、胡以晃、石祥禎三人。楊秀清認爲賴漢英是天王的人，胡以晃是北王的人，石祥禎是翼王的人，活着的四王，唯獨自己無人在內，便在後來添派林啓容、白暉懷進了了西征軍。待到九江、湖口等江西十餘州縣爲西征軍所控制時，楊秀清便藉口賴漢英久攻南昌不下，將他調走。於是，江西就成了楊秀清的領地。林啓容是條直漢子，雖然對東王的屢屢提拔和重用很感激，但對賴漢英也很尊敬，而他尤爲佩服的却是翼王。對於翼王主持西征軍務，這次又親來九江城，林啓容是完全擁護的。

「你與湘勇是重逢了，我可才是第一次看見他們。」石達開也很喜愛林啓容的忠勇，他見林啓容完全不把湘勇放在眼裏，遂提醒道，「不過，今非昔比，一年半以前的湘勇，還只是處在衡州組建時期，今日湘勇，大小打過幾十仗，新近又攻下武昌、漢陽、黃州、蘄州、田鎮，氣焰囂張，實戰能力也大大加强。現在的羅澤南，也大概不會輕易中你的埋伏了。」

「眼下無須埋伏，明日誰敢來攻城，我就叫他眼睜睜地死於我的槍炮之下。」林啓容攻占九江已近兩年。在他的治理之下，這座長江岸邊的千年名城百業復甦，市井安寧，萬餘守城官兵亦訓練有素。張芾在巡撫任上，曾幾次派兵想把九江奪回來，但每次都碰得頭破血流。現在又平添幾萬人馬，還有翼王親來指揮，九江、湖口眞可謂固若金湯，莫說是曾國藩、羅澤南這批書生，就是咸豐妖頭御駕親征，也休想從他手裏奪過去。

周國虞說：「九江、湖口已經經營一年多，武昌、田鎭自然不可比擬。不過，老賊曾國藩水師仗著洋炮，陸師也大增刀槍馬匹，且全軍新勝，也不可小視。以我跟老賊打的幾次交道來看，若不施奇策，恐一時難以取勝。」

石達開說：「周將軍說的有道理。我尚未跟曾妖頭直接交鋒過，情況不熟，目前一切軍務，仍聽林將軍安排。曾妖急於進犯天京，估計一兩天之內就會來搦戰。林將軍，這第一仗由你來指揮，我在城頭上爲你擂鼓助威。」

九江上游十餘里處，有一個市鎭名叫竹林店，傳說是東晋詩人陶淵明的故居，攻打九江的湘勇水陸兩支人馬，已駐紮在這裏幾天了。昨天，胡林翼奉楊霈之命，率領二千綠營前來支援，並帶來皇上獎勵攻克田鎭的聖旨和諸如狐腿黃馬褂、白玉四喜搬指、白玉巴魯圖翎管、玉把小刀、火鐮等賞物，曾國藩及湘勇水陸將領再次沐浴著浩蕩皇恩。幾乎與太平軍會議的同時，在曾國藩寬大的拖罟上，湘勇的軍事會議也在緊張的氣氛中進行。曾國藩指著掛在船艙板壁上的地圖，對身旁的塔、羅、胡、彭、楊、李等人說：「九江北枕大江，東北有老鸛塘、白水港，西南有甘棠湖，西有龍開河，東南多山，林啓容在九江盤踞多時。據查，老鸛塘、白水港、甘棠湖、龍開河等地，外有長毛水師把守，內建堡壘，東南山上築有炮台，看來九江城防很嚴。現在又來了賊中悍將石達開。據說此人能文能武，又會籠絡人心，非尋常草寇可比。明日攻城，諸公有何高見？」

羅澤南一來要報昔日之仇，二來也爲感激皇上的恩賞，曾國藩話音剛落，便站起來說：「澤南與賊酋林啓容除國仇外，今生還有永不可解之私怨。明日攻九江，正是報仇的時候，澤南定當一馬當先。石達開號稱賊中梟雄，依澤南看來，那石達開不過二十幾歲的人，生在愚氓之中，長在邊鄙之地，有何見識？有何本事？只不過是一時被風捲起的水底沉渣罷了。我湘勇水陸二萬，乃堂堂正正奉天討逆之王師，目前正充溢連戰連捷之軍威，又乘著皇恩浩蕩之春風，定可一鼓攻下九江，活捉石逆林逆。我軍人馬衆多，明日可定四面合圍之策，決不能讓長毛逃走一人。」

這一番話說得曾國藩肅然起敬，衆人都紛紛贊同。於是曾國藩命塔齊布、鮑超攻西門，羅澤南、李續賓攻東門，彭玉麟、鄭翼升率水師由桃花渡登岸，攻打九華門，楊載福、李孟羣封鎖江面，擋住從下游湖口增援的敵軍，並堵住北門。四路人馬合力並舉，務必要大獲全勝，一舉拿下九江城。

平常慣例，湘勇每天吃完早飯後天才亮。今天提早半個時辰，吃過早飯，羅澤南將部隊領到九江城東門腳下時，天才漸漸放亮。猶如那年南昌永和門外一個樣，城門緊閉，城牆上亦不見一兵一旗。羅澤南正在四處張望之時，猛聽得城內一聲炮響，剎那間，東門城牆上豎起無數面犬牙三角旗，城門洞開，林啓容親率一彪人馬殺了出來。城樓上，石達開身穿九龍黃綢袍，頭戴單龍雙鳳戰盔，親自監督鼓手擂鼓。

林啓容跨馬奔出吊橋，直向羅澤南衝來，一眼看見這個當年的手下敗將，不覺哈哈笑起來，大聲取笑道：「腐儒，那年讓你跑了，留下一條老命，你也該醒悟了，不在家安安穩穩教蒙童糊口，卻又跑到這裏來送死，何苦來？」

羅澤南氣得咬牙切齒，罵道：「我把你這無父無君、造反作亂、滅九族的逆賊碎屍萬段。誰給我上！」

話未落音，李續宜拍馬舞刀迎去，林啓容舉槍接過，二人大戰開來。戰了幾個回合，李續宜已覺得兩手發軟，而林啓容卻在城樓鼓點的振奮下越戰越勇。他大吼一聲，挺起丈二點鋼槍直向李續宜咽喉刺來。眼看李續宜就要喪命，身後參將營官童添云舉起狼牙棒擋住，另一參將林源恩也拍馬前來助戰。三匹馬將林啓容圍在中間，猶如當年三英戰呂布。大戰幾十個回合，林啓容賣了一個關子，瞅空衝出包圍圈，直向吊橋奔去。石達開在城樓上急令放炮。童添云以爲林啓容戰敗了，驅馬緊追，冷不防一炮打來，正中前額。童添云慘叫一聲，從馬上墜下，當即身亡。這時，城上數十門大炮一齊發射，兩邊山上，炮火如雨點飛來，湘勇隊伍中一片一片地倒下。羅澤南只得下令退兵。

正當東門大敗之際，西門塔齊布、鮑超也遭到强烈的抵擋。周國虞指揮的數千名從田鎭過來的太平軍將士，憋足滿腔怒火，依仗著九江西門的異常堅固和林啓容所布置的强大火力，人人勇氣倍增，鬥志旺盛，血管裏奔湧著報仇雪恨的急流，兩眼迸發出焚燒恥辱的烈焰，直殺得湘勇丟盔卸甲，卷旗逃命，塔齊布、鮑超無法制止。

正午，羅澤南、塔齊布帶著東西兩門潰敗的人馬回到竹林店。不久，彭玉麟、楊載福兩路水師也無功而回。曾國藩心中焦急。

彭玉麟建議繞過九江城，攻取湖口和湖口對面江中的梅家洲，同時，仍遣小部分兵攻打九江，以牽制九江兵力。曾國藩採納了這個建議。水陸兩路在竹林店略事休整，便分兵攻湖口和梅家洲。

石達開親眼看見林啓容大敗湘勇，對九江城防很是滿意，下游五十里遠的湖口防衞如何，他尚不放心。半夜，石達開乘船離九江，天亮時進了湖口縣城。湖口也是長江南岸的一個重要碼頭。它外連長江，內接鄱陽湖，是五百里鄱陽湖的進出口。對面江心梅家洲，是一個長約四十里、寬約四五里的大沙洲。梅家洲北面江面狹窄，大船不能通過，主航道在南面。石達開看中湖口與梅家洲之間，正是聚殲湘勇水師的絕好戰場。他一到湖口，便立刻命令羅大綱帶一萬人馬過江駐梅家洲，在洲上築壘架炮，封鎖江面。石達開又巡視湖口的軍事部署，將城內兵力抽調三千，交由白暉懷率領，紮在城西五里處的盔山。剛安排妥當，探馬報，湘勇水路由彭玉麟、楊載福率領、陸路由胡林翼、羅澤南率領，正向湖口殺來。

胡林翼、羅澤南求勝心切，帶著六千湘勇和二千湖北綠營一口氣奔到湖口縣城下，督促兵勇架炮攻城，恨不得將湖口一口吞下。這時，石達開率三千人馬從西門衝出，部將石風昆從南門衝出，將胡林翼、羅澤南圍在中間。湘勇分成兩隊應戰。攻城火炮完全不能發揮作用。湘勇遠途來攻，太平軍以逸待勞，再加上石達開勇猛過人，交戰不到半個時辰，湘勇便開始敗退。這時，白暉懷率部從盔山上衝下來，切斷湘勇西歸的退路，湘勇頓時一片混亂。胡、羅只得指揮兵勇死死挺住。

江面上，彭玉麟的水師也衝進羅大綱精心布置的火力網中。洲頭是數百條戰船攔截，洲尾是上百門大炮封鎖，彭玉麟的水師前後受敵。自從衡州受命，組建水師以來，彭玉麟幾乎沒有敗過，湘潭、岳州、武昌、黃州、田鎮，一路勢如破竹，爲湘勇的節節勝利奠定了基礎，沒有想到，現在卻在梅家洲遭到圍困。他傳令將戰船集中在一起，避開兩個火力點，全力攻其中段，强行登陸，企圖在洲上與太平軍短兵接戰。這時，胡林翼、羅澤南也敗退來到江邊，招呼彭玉麟接他們上船。彭玉麟將胡、羅澤南接上船後，改變攻梅家洲中段的計劃，集中全力向上游突圍。經過一番苦戰，終於衝出重圍。

兩次水陸失敗，使曾國藩很惱火。他絕不相信，一個乳臭未乾的長毛匪首，能夠阻擋乘勝前進的王師。

三　水師被肢解，石達開二敗曾國藩

曾國藩做夢都沒想到，幾仗打下來，石達開這個太平天國的年輕王爺，已看穿了水師的致命弱點，要置他的性命所在——湘勇水師於死地。

石達開興奮而冷靜地對衆位將領說：「連日來，我用心觀看了曾妖的水師，見其裝備精良，指揮得法，是一支有戰鬥力的軍隊，我軍水師目前比不上他們，怪不得他們在長江上連連得手，耀武揚威。但是，曾妖水師有一個致命的薄弱之處，不知諸位看出沒有？」

衆位將領面面相覷，一齊搖頭。石達開繼續說：「曾妖水師中，長龍、快蟹大而笨，只可用於指揮載重，卻不宜迅速移動，必須依靠舢板的靈巧機動，才能發揮戰鬥作用。反之，舢板離開長龍、快蟹也不能作戰。曾妖將大小戰船配合使用，相得益彰。這正是曾妖水師的最大長處。但天下事有一利則有一弊，倘若將其大小船分開，則都失去了作用。這叫做合則雙美，分則俱敗。」

衆將十分佩服石達開的卓見，但如何拆開呢？大家都望著翼王，知道他一定成竹在胸。

「曾妖水師自出長沙以來，轉戰千里，連陷重鎮，僥倖獲勝，沒有得到充分的休整。屢勝則驕，驕則輕敵；久戰則疲，疲則鬆弛。故用兵，驕、疲爲失敗之因。我這裏有個小小的計策，各位將軍看可用不可用？」

石達開將自己的主意說出，衆將都說好。

從第二天開始，九江、湖口、小池口、梅家洲各處太平軍一律遵循翼王將令，任水陸湘勇如何挑戰，一概置之不理。入夜，太平軍則派兵沿長江兩岸鳴鑼敲鼓，放出船到江中，將火箭、火球射入湘勇的戰船中，弄得湘勇夜夜驚恐，不得安寧。如此相持半個月，石達開估計曾國藩糧草將盡，軍心浮躁，便命羅大綱依計而行。

這天半夜，九江碼頭燈火昏暗，隱約可見江面上一溜兒擺開了數十條貨船，一隊隊太平軍士兵一聲不響地扛著沉甸甸的麻袋，從城裏來到碼頭邊，踏過跳板，來到船艙。有些麻袋紮得不牢，雪白的大米漏出來，撒得滿地都是。將到凌晨，貨船上都壓著壘得高高的麻袋。

九江碼頭上的這個不尋常舉動，早已被湘勇斥候看在眼裏，報告了水師協統李孟羣。

「滌帥，九江裝了滿滿四十條船的糧食，即將開船運往湖口。」李孟羣忙將這個重要情報報告曾國藩。

「裝的都是糧食嗎？」曾國藩心中一動。

「都是頂好的大米，估計有七八十萬斤。」

湘勇在竹林店駐紮已近一個月，二萬名水陸將士，一天要消耗四萬餘斤糧食。陳啓邁沒有提供軍糧，全靠他們自己在瑞昌，黃梅、廣濟一帶籌集。籌糧是件很難辦的事，軍中存糧只夠三四天了。早聽得九江城里糧草堆積如山，但城攻不下，一粒也得不到。現在這麼好的機會，如何能讓它錯過！見曾國藩沉默不語，李孟羣著急了：

「滌帥，這事交給我去辦吧，四十條糧船，我叫它全部掉頭向竹林店開來。」

郭嵩燾、陳士杰也認爲機會不可錯過，只有彭玉麟提出不同的看法：「長毛是不是在釣魚？」

「我看不是。萬一情形不對，我再把人帶回來。」奪回這批糧食是個很大的功勞，李孟羣要爭這個功。

軍中糧食匱缺，曾國藩何嘗不著急。此中是否有詐，他一時猶疑不定。但不管它詐在哪裏，搶回這批糧食，就是大勝利。

「鶴人，你帶三千水師，將這幾十船糧食全部搶回來。記住！務必速戰速決，快去快回。」

李孟羣調出二百五十條舢板，興沖沖地離了竹林店。水勇們奮力划船，順著水勢，舢板箭也似地飛向下游。果然，李孟羣看見前面緩緩地走著一隊糧船，船上碼著整齊的蔴袋，正向湖口方向駛去。李孟羣揮動著表示加速的令旗，二百五十條舢板像端陽競渡，你追我趕，向糧船衝去。

羅大綱看著後面來了一大片舢板，暗自欽佩翼王的謀算。他站在船頭，對著號筒大喊：「清妖來搶糧了，弟兄們快點划！」

這是有意讓李孟羣聽到。羅大綱號令一下，四十條糧船明顯地加快速度。江面上，太平軍的糧船在前撥浪前進，湘勇的舢板在後窮追不捨，不知不覺來到湖口城邊。眼看就要追上了，只見糧船向右一轉，一齊向鄱陽湖駛去。就要到手的糧食，豈能讓它眼睜睜地跑掉！李孟羣仗著人多船多，也跟著進了鄱陽湖。誰知湘勇水師一進湖口，便突然從入口處駛出數百條戰船，將入口全部封鎖起來，康祿指揮火炮猛烈向舢板射擊。二百五十條舢板如同掉進封了口的袋子裏，再也無法出去了。這時，李孟羣方知中計，便索性指揮舢板向湖心划去。

一直到吃中飯時，尚不見李孟羣回來，曾國藩急了，忙派飛騎前去打聽。很快回報，二百五十條舢板全部陷入鄱陽湖中，

正在這時，彭玉麟急匆匆地進來稟報：「滌丈，長毛的戰船向我們開來了！」

曾國藩出艙看時，只見下游黑壓壓一片，數千條戰船向竹林店壓來。曾國藩、彭玉麟等急得直跳。全部舢板都已離開，就像猛虎失去四肢，鷹隼砍斷雙翅，這些快蟹、長龍只能蹣跚笨拙地移動，艱難應敵，昔日那種靈活快速、主動出擊的局面已不復存在，全仗船上裝的重型火炮，才使得太平軍的船隻不敢過於靠攏。

周國虞認得中間偏後的那艘特大座船是曾國藩的拖罟，便率領十條快船從四面八方圍攻。

這十條快船如同十條矯健靈敏的獵狗，曾國藩的拖罟就像一隻愚笨的狗熊，被這羣獵狗弄得目眩頭暈，終於驚慌失措。先是拖罟上的十二門大炮拚命發射，不多久，炮彈發完，便沒有一點還手的能力了。周國虞高喊：「清妖的炮彈沒有了，大家衝啊！」

十條快船一齊衝過來，周國虞率先跳上拖罟，接著快船上的一百名水手紛紛上了船。拖罟上的湘勇倉猝應戰，一個個倒在甲板上。周國虞握刀尋找曾國藩，要親手宰掉他，以報從野人山以來所結下的不共戴天之仇。

曾國藩雖爲二萬湘勇的最高統帥，卻手無縛雞之力。他躲在內艙裏，身邊只有王荊七和幾個親兵，康福、彭毓橘等人都不在拖罟上。曾國藩兩眼死死地盯著船上的厮殺，既不能指揮兵勇們去肉搏，更不能自己持刀上前去抵抗，猛然聽得一聲喊：「周將軍，曾妖頭躲在這裏！」

立時艙門口出現一個身長壯健的漢子，手拿一把明晃晃的砍刀，殺氣騰騰地就要進艙，親兵們立即一窩蜂上去阻擋。曾國藩看到數步之外刀槍拼擊，不覺心膽俱裂，四肢痙攣，知道此次必死無疑。他不願落到長毛手中遭抽筋剝皮的痛苦，便推開艙門，滾進江中。王荊七也跟著跳下水去。曾國藩自小牢記「道而不徑，舟而不游」的孝子之道，從來不敢下水學游泳，這時正如一個秤砣，掙扎兩下，便往江底沉去。幸而王荊七跟在後面，立即將他托起。恰好彭玉麟駕著水師中僅存的一條舢板趕來，七手八腳地將曾國藩拖上船，急忙送上岸去。

換了一身乾衣服後，曾國藩醒過來了。他想起拖罟上有不久前皇上親賜的黃馬褂、玉搬指、玉刀等，還有許多文卷書函，此刻一定都葬於江底了。連自己的座艙、皇上的賞賜都保不住，還當什麼水陸二軍的統帥！他立即想起靖港敗後，湖南官場對自己的冷酷，好比又沉到冰冷的江裏，渾身發抖，上下牙齒打起仗來。一陣劇烈的悲痛很快就過去了。靖港敗後雖受辱，但接下來的便是武昌大捷、田鎮大捷，假如那時眞的死了，哪有後來的殊榮！他慶幸剛才的死裏逃生，對王荊七、彭玉麟分外感激。不能死，「好漢打脫牙和血吞！」恩師穆彰阿的贈言浮現腦中，日後要用更大的勝利來洗刷今日的恥辱。不過，剛才從水中被救起的形象一定十分狼狽，將士們將會怎樣看待自己這個不能舞刀上陣的統帥呢？

「楊國棟，把棗子馬牽來！」曾國藩突然高聲喊叫。

楊國棟奇怪，這匹馬到湘勇軍營中兩三個月了，曾國藩從來沒有騎過，今日遭受這樣大的打擊，還要騎馬做什麼？楊國棟牽來棗子馬，曾國藩顫悠悠地站起來，叫人攙扶到馬身邊，又叫人把他扶上馬，然後挺起腰板，雙手一拱：「各位，我曾某人上有負皇恩，下愧對諸公，今日只有效先軫之榜樣，死在長毛刀槍之下，才能稍贖罪過。」

說罷就要學鞭。只見彭玉麟平地跳起，搶過馬鞭，說：「曾大人，先軫不足法。」

楊國棟一手抓緊馬繮繩，忽然興奮地喊：「長毛敗了！」

曾國藩從馬上看去，原來鮑超領著二千外出打糧的人馬恰在這時趕回，從太平軍的背後殺出。塔齊布、羅澤南等見太平軍隊伍已亂，於是又重整人馬，回頭殺去。石達開見水師已大勝，怕陸軍有失，便鳴金收兵。曾國藩見太平軍撤退，又喜又愧。忽然，一股惡腥湧上心頭，噴出一口鮮血來，隨即眼睛一黑，從棗子馬上栽下來，竟然死了過去。

四　湘勇厘卡抓了一個鴉片走私犯，他是萬載縣令的小舅子

曾國藩三十歲時咯過血，後來雖然痊癒，但身體一直不健壯。這次遭受石達開的沉重打擊，又加之落水受了驚嚇，舊病復發了。衆人慌忙將他抬進大營，好半天才慢慢回轉氣來，但卻一病不起。連續幾天幾夜發高燒，講胡話，不吃不喝，文武部屬都急得不知所措，眼看就要不行了。虧得楊國棟在一個人跡罕至的村落裏，尋得一位年近九十的老郎中。老郎中給曾國藩診了脈，開過處方，幾劑藥吃下去，居然起死回生了。曾國藩感激不盡，封了五十兩銀子，叫親兵送給老人。誰知那個老郎中不但分文不受，反倒送給曾國藩一張紙條，那上面寫著：「干戈四

起，人命如紙，老朽一生行醫，以救死扶傷爲職志，睹此慘景，心何悲愴！然老朽亦知天意如此，人力難已阻擋，但願大帥愼積陰功，勿濫殺無辜，是爲至盼。」曾國藩覽畢，淡淡一笑，順手將紙條夾在案桌上的《莊子》中。調養幾天後，曾國藩實在不能忍耐了，叫荊七將堆積如山的軍情文報送到床邊。他看著看著，不禁心驚肉跳起來。

原來，就在曾國藩臥病在床的這些天裏，石達開又指揮了一場驚天動地的戰役。石達開在兩敗曾國藩後，立即命令駐在安徽的燕王秦日綱、護天豫胡以晃、檢點陳玉成率師溯江西上，收復長江兩岸失地。幾天後，又派韋俊帶一萬人馬增援。這兩支人馬浩浩蕩蕩沿江西進，很快收回被清軍占領的武穴、田鎭、蘄州、黃州，軍鋒銳不可擋。咸豐五年二月十七日，太平天國乙榮五年二月二十七日，韋俊率軍第三次攻克武昌。巡撫陶恩培被擊斃城中，總督楊霈倉皇出逃，朝野震動。咸豐帝撤了楊霈的職，任命荊州將軍官文爲湖廣總督，擢按察使胡林翼爲湖北巡撫。胡林翼匆匆帶了二千綠營趕回湖北戰場。從武昌到江寧，長江兩岸的重要集鎭，全部又由太平軍控制。江面上，掛著綉龍杏黃綢緞蜈蚣旗的太平軍戰船往來航行，暢通無阻。太平天國又一段興旺的時期來到了。

曾國藩登上小山丘，眺望江中上下如飛的太平軍戰艦，再低頭看蜷縮在岸邊的東倒西歪的快蟹長龍，想起被鎖在鄱陽湖裏的舢板，心中很是痛苦。水師是曾國藩的命根，他不能讓它就此一蹶不振。爲重振水師，他派楊載福帶一批將官回到岳州，不分晝夜，不惜成本，立即造出二百條新的快蟹長龍和四百條舢板；派陳士杰募工匠就地維修，凡能修繕的船只盡量修復；又遣彭玉麟間道趕到鄱陽湖，與李孟羣聯繫上，盡一切力量攻下鄱陽湖邊的重鎭南康府。

十天過後，彭玉麟送來捷報：內湖水師攻克南康府。進入江西三四個月，終於拿下了一個府城，曾國藩心裏略感安定。他命塔齊布帶五千陸師繼續駐紮竹林店，其餘全部人馬跟著他遷到南康。曾國藩決定以南康爲據點，在江西住下來，不收復九江、湖口，決不離開。

南康城內只有幾萬居民，到處屋頹牆倒，茅草叢生，一派荒蕪冷清的景象。曾國藩將大營設在原知府衙門內，略事安定後，便著手籌辦兩個工廠。一是火藥廠，委託楊國棟負責，製造火藥、軍械，並設法再向廣東購買洋炮。一是修船廠，委託鄧翼升負責，修復舢板，製造長龍快蟹，重新裝備內湖水師。一切都好安排，唯一缺乏的就是銀子。曾國藩冥思苦想，實在想不出別的辦法，只好求助於巡撫陳啓邁，請他設法速撥二十萬餉銀到南康來。盡管前次在湖北時碰了壁，曾國藩想，現在是在江西，完全是爲了收復江西的失地而與長毛作戰，諒他陳啓邁不會置之不理。曾國藩根本沒有想到，事情大大出乎他的意外。陳啓邁不但不拿出分文，反而奚落了他一番。充當特使的德音杭布也受到了冷落。德音杭布氣不過，告訴曾國藩：陳啓邁以及藩司陸元烺、臬司惲光宸都說，現在湖南湘鄉、平江、新寧一帶起屋成風，家裏只要有一人當湘勇，全家人都不要做事了，銀子用不完。李續賓的父親買了一千畝水田，湘鄉沒有買的，買到衡州去了。曾國藩家買的田更多。把皇上的銀子運到自家去，何況我們拿不出，拿得出也不能給他。這番話，把曾國藩氣得暴跳如雷。

這時，有一個人走上前來，對曾國藩說：「恩師不必動怒，學生有辦法可以得到銀子。」

曾國藩轉臉看說話的人，原來是前幾天來投奔的萬載縣舉人彭壽頤。

彭壽頤本是萬載縣團練副總，在剿匪事上與縣令李浩不和。李浩是陳啓邁夫人娘家的侄兒，仗著陳啓邁的勢力，誣蔑彭壽頤私通長毛。彭壽頤鬥不過李浩，便逃到九江。打聽到湘勇統帥正是他前年鄉試的主考官曾國藩，便來投靠，希冀得到這把大紅傘的保護。曾國藩那年主考江西，原是一樁企盼多年的美差事：即可以收一批門生，得一大筆程儀，又可以就近回家省親。誰知行至安徽太湖，忽接母死噩耗。這時他的打擊太大了。主考當不成了，他改服奔喪，取道黃梅縣，覓舟未得，乃渡江來到九江城，準備雇舟溯江西上。恰在此時，江西學政沈兆霖動員全體應試學子捐銀一千兩，星夜送到九江城。這一千兩銀子，對於曾國藩來說，無異雪中送炭，他十分感激江西舉子的深情厚誼。因爲這層關係，曾國藩對彭壽頤很有好感。加之他又是已中的舉人，且說起辦團練來頭頭是道，便欣然認他爲門生，留在身邊。

當下曾國藩望著彭壽頤，半信半疑地問：「你有什麼法子？」

彭壽頤說：「恩師，餉銀一事，學生思之已久，有三條途徑可以試著走。」

「三條？」曾國藩想，自己一個辦法也沒有，他倒可以一口氣說出三條，且聽聽他的主意，「長庚，你慢慢講。」

曾國藩的火氣降下來了，他習慣地半眯著眼睛，靠在太師椅上，認眞地聽這位江西門生的意見。

「第一個辦法，請在籍前刑部侍郎黃贊湯黃大人出面。黃大人爲人極是正派，雖在籍守制，但憂國憂民之心未減，聽說黃大人亦看不慣陳啓邁的行爲。若恩師去饒州拜訪一下黃大人，請他出面，勸說鄉紳捐助，我想一定可以得到幾萬銀子。」

「黃大人什麼時候回籍的？」曾國藩暗責自己消息閉塞。咸豐元年，曾國藩署理刑部左侍郎，那時黃贊湯任刑部郎中。咸豐三年，黃贊湯擢升刑部左侍郎。在那個時代，官場上是極講究關係的，有這層關係在內，自然比別人要親密三分。

「去年秋上，黃老夫人吃完米壽酒後，當天夜裏無疾而終，黃大人立即辭官回來守喪。」

「老太太也眞是福壽雙全。」德音杭布插話。

「第二個辦法，我向恩師告個假，到南康、九江、饒州一帶聯絡幾個壬子同年，他們都是殷實之家，又一向慕恩師的道德文章，我估計他們也可以拿出幾萬銀子來。」

曾國藩很贊賞彭壽頤的忠誠靈泛，但嘴上卻並不說一句話，只是含笑點點頭。

「第三個辦法最可靠，也最有效。」

彭壽頤見曾國藩睜開眼睛，榛色雙眸晶光閃亮，兩道眼光逼得他不可正視。他立即轉過眼，繼續說下去：「我們自己在贛北設厘卡抽稅。」

曾國藩微微一怔，雙眼立時又半瞇起來。設卡抽稅之事，他不是沒有想過，只因怕招致江西官場的物議，投鼠忌器，不敢貿然下手。現在，陳啓邁既然不仁在先，也不能怪我不義了。江北大營可以在揚州設卡，湘勇爲何不可在贛北設卡呢？他看了一眼身旁的德音杭布，先聽聽他的口氣再說：「泉石兄，你看設卡之事可爲嗎？」

德音杭布不假思索地回答：「我看可爲，陳啓邁不給軍餉，朝廷一時又無餉可發，湘勇眼看要喝西北風了。事出無奈，可以權變。陳啓邁要是有意見，我願爲大人向朝廷作證。」

德音杭布似乎找到向陳啓邁發洩的好機會，說起話來顯得頗爲激動。

「泉石兄也支持，那事情就好辦了。我明天到饒州去拜訪黃大人，若捐輸順利，則不設厘卡，實在不行，再設不遲。」

第二天，曾國藩帶著康福、彭壽頤等人，在內湖水師保護下，渡過鄱陽湖，當天傍晚在樂亭鎭進入鄱江口，也不驚動饒州知府，就在城裏一家小小客棧住下來。次日一早，便打轎拜訪黃贊湯，並送了五百兩銀子的賻儀，又以晚輩身分在黃老太太的遺像前磕頭。黃贊湯十分驚喜，聽完曾國藩陳述到江西幾個月的困境後，果然一口答應。並建議曾國藩向朝廷申請一千張空白部照，按銀兩多少，發給捐輸者相應品銜的部照，鼓勵他們踴躍捐助。曾國藩很欣賞黃贊湯的建議。翌日回南康，立即向朝廷申請二千張空白部照。半個月後，黃贊湯送來捐銀十萬兩，彭壽頤也募來三萬。曾國藩大喜。恰好部照亦到，便給黃贊湯一千張，彭壽頤二百張。一時間，饒州、九江、南康一帶，便平添許多八品、九品、從九品的頂戴。這些鄉下士紳戴著裝有鏤花金頂的傘形帽，眞個是臉上出油，衣角生風，神氣已極。親朋見了，人人艷羨。沒有幾天，捐銀便又增加好幾萬。曾國藩見江西的銀子並不難得，便採納彭壽頤的第三個建議。又見彭壽頤能幹，一發將辦厘卡的事也交給他。

彭壽頤領下辦厘局的差事，心中躊躇滿志，決心要好好地辦出一番事業來。這厘局是眞正的肥缺，委派一下來，便有許多人來找彭壽頤，想在厘局謀個差事。彭壽頤的家遠在萬載，自家的親戚一時無法來，便依靠在南康府的兩個朋友，一個叫夏鎮，一個叫呂倫，兩個都是壬子鄉試同年。夏、呂二人見彭壽頤受曾國藩器重，便格外起勁地巴結他，偸偸地給彭壽頤送一萬兩銀子。彭壽頤自己留下五千兩，將另外五千兩交給曾國藩。曾國藩委夏、呂二人爲厘局委員。彭壽頤在南康設總局，又在星子、瑞昌、德安、建昌、武寧、靖安、奉新、安義、豐城等縣設分局，每個縣的重要關隘、集市都設上厘卡。後來曾國華在瑞州打開局面，彭壽頤又在高安、上高、新昌設分局。厘局開辦一個月，便收厘金六千兩。彭壽頤自己留下一千，將一千分給委員們，給曾國藩上繳四千。曾國藩著實將彭壽頤誇獎了一番。但設卡之處，無不民怨沸騰，弱者忍氣吞聲，敢怒不敢言，强者則與厘卡人員爭吵、鬥毆，毀卡殺人的事件時有發生。消息傳到南昌，陳啓邁大爲惱火：

「江西是我當巡撫還是曾國藩當巡撫！居然不與我商量，便在我的治下辦起厘局來，欺人太甚！」

「姓曾的也太目中無人了。中丞，我們要向朝廷告他。」惲光宸也很憤怒。

陸元烺的火氣雖然沒有陳啓邁、惲光宸大，但也覺得曾國藩的手伸得太長了。這樣大的事，越過地方衙門，自行作主，無論怎麼說都講不通。他也同意陳、惲的意見，暫不驚動曾國藩，先向朝廷告發，待聖旨下來後再來收拾。陳啓邁的告狀摺發出不久，瑞州厘局就出了一樁大事。

瑞州厘局的總管便是夏鎮，夏鎮的父親是瑞州的大財主。夏鎮平時都住瑞州，上個月來南康找親戚，與彭壽頤往來密切。夏鎮先在總局當委員，後來彭壽頤任命他爲瑞州分局總管。他領了這個任命，興沖沖地回到家鄉，在瑞州府轄地到處設厘卡，委用自己的三親六戚、朋友相好爲卡丁。這些人乘機大肆勒索，高抬釐率，貪汚中飽。夏鎮平均每天可得一百兩厘金。他算了一算，一個月可得三千餘兩，上交二千兩，淨賺一千餘兩，半年下來，五千兩的本錢就撈回來還有餘，只要當上三年的總管，便可撈上三萬餘兩雪花銀，實在不亞於一個知縣！他心裏美滋滋的。瑞州的百姓則恨死了這些到處林立的鬼門關。地方官員也厭惡，但他們一則不敢得罪手握重兵的曾國藩，另一方面，夏鎮和各分局的頭頭們也時常分些錢給他們。既然巡撫都沒有出面干涉，他們也便不作聲了。

這一天，瑞州城外錦江碼頭厘卡攔住一艘大貨船，貨主大名叫高山虎。其人左臉上有一塊極不體面的長疤，綽號叫高疤臉。高疤臉聲稱船上裝的是瀏陽夏布，運到南昌去賣。厘卡頭領趙有聲，是夏鎮的表弟，排行老三，身材矮小，尖嘴猴腮，卡丁們當面叫他三爺，背地裏叫他山猴子。

山猴子上了船，用一根約三尺長的細鐵棍，敲打著用粗棉紗布包的包包。

「這裏裝的都是瀏陽夏布？」山猴子用懷疑的眼光盯著高疤臉。

「是的，是的。老總，船上裝的都是瀏陽夏布。」高疤臉哈著腰，滿臉恭敬地回答。

山猴子用鐵棍這個包敲敲，那個包戳戳，然後陰沉地命令：「抽十兩厘金！」

「老總，哪能抽這多！這些夏布值幾個錢。」高疤臉急了，原以爲頂多二兩。

「值幾個錢？」山猴子冷笑道，「你這船夏布少說也賣得五百兩銀子，值百抽二，抽十兩還算多？」

「老總，你莫取笑了，這船布最多也只值一百兩銀子，況且我們在界埠已被抽去二兩，在灰埠又被抽出二兩。你看，」高疤臉指著包上的灰印說，「這都是界埠、灰埠兩處蓋的。」

「我不管這些！」山猴子對灰印不屑一顧，又用細鐵棍死勁戳著頂上一個布包。戳進去後，又用力將鐵棍從包裏抽出。因用力過猛，布包順勢滾下，在山猴子腳邊散開了，露出雪白的夏布來。山猴子家裏正要夏布做蚊帳，極想將這包夏布弄到手。他把散包的夏布一施，突然，從夏布裏滾出一個紙包。這時，高疤臉的兩片臉一下子變得煞白。山猴子是個久混江湖的人，曉得包裹有名堂。他一邊嘿嘿地笑著，一邊把紙包撕開。一塊塊棕黑色的膏片露出來，船上立時充斥著一股惡臭。山猴子高聲嚷道：

「好啊！你違抗朝廷禁令，私販鴉片，該當何罪？」

山猴子走到高疤臉面前，舞起鐵棍，聲色俱厲地威脅。他以爲高疤臉會馬上跪在他的面前，告饒求情。誰知高疤臉這時臉反而不白了，異常冷靜地微笑著。原來，這高疤臉並不是一個普通貨主，他乃是萬載縣知縣李浩姨太太的弟弟，堂堂七品縣太爺的小舅子。這船貨本是從萬載縣開出的，爲保密才詭稱從上高來。高疤臉仗著姐夫的關係，偷偷地從廣東經湖南偷運鴉片，然後再把這些鴉片運到南昌，賣給南昌的官場、商場，從中謀取暴利。高疤臉把利潤分一半給姐夫李浩，李浩又從中分出一部分給陳啓邁。這個生意，高疤臉已做了大半年，雖有人探得點風聲，但誰敢惹怒他！高疤臉先想以一個老實膽小的小商販的面目混過厘卡，現在見原形敗露，知道哀求無用，只有狠心出一筆大錢來買通。高疤臉的沉著，反而使山猴子感到奇怪。山猴子是個有經驗的人。沒有金剛帖，不敢攬瓷器活，這小子敢於走私鴉片，必定非良善之輩。

山猴子想到這裏，反而收起了剛才的凶相。

「老總，請艙裏坐。」高疤臉客氣地邀請。山猴子叫卡丁們上岸去，他一人跟著高疤臉進了艙。坐下後，高疤臉開門見山地說：

「老總，要多少銀子過關，你開個價吧！」

山猴子瞇著眼，歪著頭，在心裏掂了掂，說：「倒三七吧！」

高疤臉聽了，嘿嘿笑道：「老兄，你也太貪心了，順三七吧！」

「你說我貪心，好，老板，我明告訴你，管厘局的可不是陳中丞，而是曾大人。曾大人在湖南是有名的曾剃頭。你不願意，我也不勉强。我把這些稟報曾大人，但到那時，恐怕是你一個子也拿不到，還得坐幾年牢房。」

這一招確實厲害，高疤臉好一陣開不了口。

「老兄，倒三七，總沒有這種開法的吧。如果你硬要這樣，我寧肯去坐牢房。你想想，那樣做，你又撈得了一個子?」

兩人討價還價，結果達成對半分的協議。這一夜，山猴子在船上將所有的布包都搜查了一遍，一共搜出二百斤鴉片，按當時價，可賣一千五百兩銀子，獲利八百兩，對半分，山猴子可得四百。這四百兩銀子，山猴子想獨吞，他要一手交銀，一手放船。高疤臉說：「船上現在沒有這多銀子，你稍等兩天，我打發伙計回去拿。」

山猴子於是在船上住下來。第二天剛天黑，一個家人慌慌張張跑到船上：「三爺，太太和姨太太又打起來了！」

「這兩個賤人！」山猴子罵了一句，把家人拉到一邊吩咐，「你給我好好地看著，不准任何人上下船，我去去就來。」

山猴子走後，高疤臉見機會來了，笑嘻嘻地對趙家的家人說：「老兄，辛苦了，來，喝兩杯。」

這家人並不知船上所發生的事，見高疤臉客客氣氣地，又有好酒好菜，便和他對酌起來。艙外，高疤臉的伙計正按照他的布置，將二百斤鴉片用油紙包得嚴實，再綁兩塊石頭在上面，直溜溜地把它沉到江底。趁著家人微醉的時候，又悄悄叫船老大將船向下游方向移動二十多丈。一個時辰後，山猴子急急趕回船。鴉片沉了。高疤臉不怕山猴子了。第二天一早，他便皮笑肉不笑地對山猴子曰：「老兄，我們要開船了，請回府吧！」

「回去？四百兩銀子呢？」山猴子邊擦眼睛邊問。

「誰欠了你的銀子？你怕是夢還沒做醒吧！」高疤臉輕輕鬆鬆地蹺起二郎腿。

「好哇，你想賴帳，我也不要銀子了，你和我到衙門裏去走一趟。私販鴉片，看你如何賴得掉！」山猴子凶惡地盯著高疤臉，兩只袖子捋了起來，做出一番打鬥的架式。

「哈哈哈！」一聲狂笑，把山猴子弄得莫名奇妙，「你血口噴人！誰私販鴉片，鴉片在哪裏?!」說罷，一步步緊逼過來，露出縣太爺舅子和江湖無賴的本色。山猴子有點慌了，無頭神似地在船頭船尾到處亂找，哪裏還有鴉片的影子！「糟了！莫不是他把鴉片運走了？」他把家人喊過來，問：「我走後有人上船嗎？」

「沒有。」家人很惶恐。

「船上有人背東西離開嗎？」

「也沒有。」家人見主人急得那副模樣，心裏愈加害怕。山猴子一把抓住高疤臉的衣領，兩眼圓睜，發怒道：「你這個蟊賊，你一定把鴉片沉到江裏去了。」

高疤臉一聽，又急又惱，伸出右手來，朝山猴子的腰上就是一拳，山猴子痛得哇哇叫，他一手捂著腰，一隻手向高疤臉的頭上擊來。高疤臉的腦袋向旁邊一躲，一邊向後退。就在這時，高疤臉被拴鐵錨的繩子絆住脚，身子朝後一仰，後腦勺碰在鐵柱上，當即死去。這下，山猴子害怕了。高疤臉在船上的幾個伙計一聲喊起，立時拿繩子把山猴子捆綁起來，上岸到瑞州府衙門，擊鼓告狀。瑞州知府闞玉寬平素也恨厘局作威作福，當即准狀。闞知府坐轎來到江邊，上船驗了屍，把山猴子打入死牢，一面飛報撫台衙門。這邊家人回去告訴李浩，李浩姨太太哭哭啼啼，李浩氣得胸口堵塞，一邊寫信請闞知府秉公辦理，又連夜打發人晋省告訴陳啓邁。

陳啓邁接到闞玉寬和李浩的信，心裏暗暗高興。他和陸元烺、惲光宸一商議，要借這個案子好好地將厘局和曾國藩整一整。他當即將闞玉寬的信以咨文形式過錄一通，送到南康府，要曾國藩按律懲辦凶手。曾國藩看完陳啓邁的咨文後，把彭壽頤叫了來，對他說：「這個案子非比一般。江西官場原本與我們有隙，這次會借機鬧一場。」

彭壽頤深愧自己用人不當，惹出了亂子，給曾國藩增添了麻煩：「恩師，學生有負信任。學生親到瑞州去一趟，一定要把這事處理妥當。」

彭壽頤帶著兩個局員來到瑞州，他一進瑞州知府衙門，便被高疤臉的伙計認出：這不是潛逃在外的彭舉人嗎？急忙將這一發現告訴李浩。李浩得知彭壽頤當上了曾國藩手下的厘局總管，這一氣非同小可，當即飛馬報知陳啓邁，同時派出四名捕快，叫他們不露聲色地將彭壽頤捉拿歸案。

四名捕快來到瑞州衙門，乘彭壽頤不備，將他拿下。彭壽頤大怒：「你們是什麼人，竟敢捆起我來？」

捕快頭賀痲子冷笑道：「彭舉人，不要大喊大叫了，我們奉了李老爺李浩的命令，特來捉拿你到萬載歸案。」

彭壽頤沒料到這幾個人竟然是萬載縣衙門的人，只得自認晦氣，但他憑借曾國藩的力量，並不害怕：「既然這樣，那就請把我送到南昌去吧！」

李浩已知彭壽頤非過去可比，事先就已告訴賀痲子，要他將彭直接送給陳啓邁。送來了潛逃在外的彭壽頤，這是陳啓邁的意外收獲。他要惲光宸親自處理，非要彭壽頤招供濫殺無辜、侵吞長毛贓銀的罪行不可。

一波未平，一波又起，兩樁事情攪得曾國藩很不安寧。他決定帶著劉蓉等人，親自到瑞州去走一趟。

五 參掉了同鄉同年陳啓邁的烏紗帽

曾國藩的親自到來，使瑞州知府闕玉寬感到意外，他率領文武出城門迎接。曾國藩吩咐闕玉寬將山猴子和當時在場的卡丁、兩家的伙計家人和船老大一齊叫來，他和劉蓉一一親加審訊。首先帶上堂的是山猴子。劉蓉喝道：

「趙有聲，今天曾大人親自提審你，你要將如何打死高山虎的事從頭老實招來，休得有半句假話！」

山猴子一聽堂上坐的是曾大人，忙連連將頭對著磚地磕，喊道：「曾大人，你老可要爲小人伸冤啊！」

山猴子一把眼淚一把鼻涕地把事情的經過說了一遍，只是不提自己想得四百兩銀子。末了，他重複說：「曾大人，這件案子冤枉。第一，高山虎的確私販鴉片，足足有二百斤，小人親自驗過，還有卡丁可以作證。第二，高山虎的確是自己碰死在鐵墩上的，並不是小人打死的。曾大人，求你老給小人作主。」

曾國藩把夏鎭喚到公堂，夏鎭跪著說：「學生有負恩師信任，不該叫趙有聲辦厘務。不過學生也聽說過，高山虎的船上確實裝有鴉片。他私販鴉片有半年之久了，請恩師明察。」

接著又審訊卡丁。卡丁們證明，船上確有鴉片，只是數量多少不知。又審訊高山虎的伙計。伙計先是否認，禁不住曾國藩的嚴辭追問，最後只得說出私販鴉片的事實，並供出高山虎是李浩的內弟。

退堂後，劉蓉說：「看來高山虎私販鴉片是事實，只要證實這件事，這個案子就好辦了，關鍵是把那二百斤鴉片找出來。」

曾國藩說：「就當時情況來看，鴉片十之八九是沉到江底去了。明天派人去打撈。」

第二天，派了兩個當地的船民下水打撈，在停船的地方打撈了一天，並未發現鴉片的踪影。瑞州知府暗自得意。曾國藩和劉蓉感到奇怪：鴉片到哪裏去了呢？燈下，二人苦思不得結果。好一會，劉蓉突然失聲笑道：「我們重蹈刻舟求劍的覆轍了！」

曾國藩恍然大悟。船老大被帶上來了。曾國藩分開掃帚眉，吊起三角眼，船老大見這副凶神惡煞的模樣，早嚇得渾身像篩穀般地顫抖。曾國藩盯著船老大的臉，半天不語，船老大魂已嚇跑，只知一個勁地磕頭不止。突然，傳來一聲炸雷：「你從實招來，那夜趙有聲上岸後，你的船開動了多遠？」

船老大抖抖索索地回答：「回大人的話，那夜趙有聲上岸後，高山虎陪趙家家人喝酒，後來又叫我把船向下游移動了二十多丈遠。」

「你說的是實話？」

「小人有幾個腦袋，敢在大人面前說謊。」

曾國藩把船老大鎖在一個小屋子裏，不讓他出去。天亮後，曾國藩帶著船老大來到江邊。船老大指著一個地方說：「船原來就停在這裏。」

兩個船民下了水，很快便抬出一個油紙包。打開一看，正是鴉片！搜出了鴉片，曾國藩踏實了。他告別闕玉寬，徑直回南康府。他指使夏鎮、呂倫等分頭搜集陳啓邁來江西的所作所爲。這一夜，他將所得材料整理了一下，親自給咸豐帝上了一份「奏參江西巡撫陳啓邁」的奏摺，給陳啓邁列了幾條罪狀：一爲已革總兵趙如春冒功邀賞，二爲奉旨正法守備吳錫光虛報戰功，三多方掣肘餉銀，四對有功團練副總彭壽頤無端捆綁，擬以重罪，五指使萬載縣令李浩夥同其內弟私販鴉片，牟取暴利，六丟失江西五府二十餘縣。這六條罪狀寫好後，曾國藩料想陳啓邁的烏紗帽保不住了，爲向皇上表示一片公心，他又提筆寫了幾句：

> 臣與陳啓邁同鄉同年同官翰林院，向無嫌隙。在京時見其供職勤謹，來贛數月，觀其顛錯倒謬迥改平日之常度，以至軍務紛亂，物論沸騰，實非微臣意料之所及。

想起惲光宸一味跟著陳啓邁走，嚴刑拷打彭壽頤的可惡，曾國藩又在摺末添了一筆：

> 臬司惲光宸不問事之曲直，嚴刑拷打辦團之縉紳，以伺奉上司之喜怒，亦屬諂媚無恥，不堪居

此要職。

全摺寫好後，曾國藩又逐字逐句細讀一遍，自認無一字瑕疵後，方才叫司書連夜謄抄。這時，劉蓉過來了。劉蓉看了奏摺後，說：「痛快！對這種庸吏就要這樣嚴參。」過一會，又對曾國藩說：「陳啓邁就厘局之事已上告朝廷，你不妨再附一片，陳述不得不辦厘局的苦衷。並說明目前贛南尚無厘局，請飭江西省迅速在贛南建局，以助軍餉。同時表明，一俟湘勇離開江西，贛北所建之局全部歸還江西。這樣既可使朝廷放心，又利於與新巡撫相處。」

「你想得眞週到！」曾國藩對這個主意甚爲讚賞。

曾國藩知道德音杭布也惱火陳啓邁，便將奏摺給他看，請他履行向朝廷作證的諾言。德音杭布也擬了一摺，把陳啓邁和江西吏治大罵一通，寄給兵部尚書阿靈阿，託他代奏。正當曾國藩爲出了一口怨氣而舒心的時候，康福進來報告：「塔提督在九江死了！」

眞如晴天一聲霹靂，曾國藩被這突來的噩耗震得雙目失神，六神無主。

六　塔死羅走，曾國藩感到從未有過的空虛

塔齊布盛年溘然去世，是曾國藩根本不能想像的事。正是曾國藩將塔齊布由一名都司銜署

理撫標中營守備，一年多時間，便迅速提拔爲湖南水陸提督。也正是這個塔齊布，知恩圖報，盡心盡力爲曾國藩打贏了幾場大仗，爲湘勇大壯聲威。曾國藩需要塔齊布帶兵打仗，更需要塔齊布爲他製造一個滿漢親密無間的形象，以消除朝野內外的各種猜忌、嫉妬以及形形色色的流言蜚語。如今在戰時進退維谷、局面晦暗不明的時候，塔齊布却因九江久攻不下嘔血歸天，曾國藩整整一夜爲此而黯然神傷。

第二天一清早，曾國藩便帶著一批高級將官和幕僚，騎馬離南康赴竹林店。曾國藩在塔齊布的靈柩邊飲泣不已，親自指揮，在靈堂兩側掛上昨夜寫就的一副輓聯：「大勇却慈祥，論古略同曹武惠；至誠相許與，有章曾薦郭汾陽。」又吩咐從湘勇內銀錢所拿出二千兩銀子，先行派專人送給塔齊布的老母，又派副將玉山帶三百弁兵護送塔齊布的靈柩至南昌，在南昌公祭之後，再由守備長春護送回原籍。又親自給朝廷擬摺，奏明塔齊布創建湘勇、屢獲戰功的勛績，並請在長沙爲其建專祠。塔齊布遺言，薦周鳳山統帶駐紮竹林店的五千人馬。曾國藩認爲綠營出身的周鳳山擔不起這個重任，出於對塔齊布的感情，也按他的遺言辦了。曾國藩對塔齊布的喪事料理得如此周到細致，對其身後倍加尊崇褒獎，使湘勇將官勇丁都十分感動。

曾國藩回南康不久，江西官場發生大的變化。咸豐帝接受曾國藩的參劾，罷免巡撫陳啓邁和臬司惲光宸的官職，將原湖北藩司文俊升爲江西巡撫，原吉南贛道周玉衡升爲臬司，陸元烺依舊當他的藩司不變。文俊是個旗人，老於官場，深通世故。他一上任，便親到南康拜訪曾國藩，邀他搬到南昌去住。曾國藩謝絕了，文俊心中不悅。不久，他便看出曾國藩身邊的幕僚，唯德音杭布與衆不同。憑著他的官場經驗和旗人特有的嗅覺，知道此人來頭非比一般，便傾力結交，和德音杭布認了世誼，往來密切。周玉衡本是陳啓邁的親信，他對陳、惲的被罷感到委屈。不過一則懾於朝廷對曾國藩的倚重，二則自己也是靠了這次變故才獲得升遷的機會，便也不言語。文俊不敢像陳啓邁那樣，與曾國藩明目張膽地對立，但也不甘心江西白花花的銀子都落到湘勇的手中，他在湘勇還沒來得及設卡的地方，全都設上厘卡，在湘勇設卡的地方也加卡，把湘勇的厘稅奪走了一半以上。百姓則更苦不堪言。江西官場從司道到府縣，都對曾國藩打長毛無功，收厘金起勁的作法不滿，不少府縣暗中慫恿人毆打湘勇卡丁，以便擠走他們，讓自己的厘卡獨霸地盤。湘勇厘卡的訴苦書一封封報到南康，曾國藩對此毫無辦法。

太平軍方面，石達開率主力進入湖北戰場，在鄂東、鄂南一帶接連收復好幾座城池。林啓容、白暉懷依然分別駐紮九江、湖口，周國虞駐梅家洲、羅大綱駐小池口，均按翼王的部署，暫按兵不動。江西戰事出現相對平靜。

這一天，羅澤南單騎匹馬，從義寧趕到南康。曾國藩很覺奇怪，問：「羅山來南康何事？」

「有大事相商。」坐定後，羅澤南對曾國藩說：「江西軍事寧靜，早晚必有大戰爆發。」

「你看出什麼啦？」

「石逆統兵進湖北，意在鞏固武昌，鞏固武昌的目的，又在於保證長江水道的通暢，一旦武昌鞏固，就會捲土重來江西。那時，其挾湖北取勝之餘威，與屯兵休養之九江、湖口逆賊聯合，必與我軍有一番惡鬥。」

曾國藩眼睛頓時明亮起來，說：「羅山顧慮的是。」

「若賊不能固武昌，則無暇來江西，故依澤南看來，一定要與石逆拚鬥力爭武昌。」

羅澤南見曾國藩點頭，便侃侃而談：「長江要害凡四處。一曰荊州，西連巴、蜀，南併常、澧，自古以爲重鎮；一曰岳州，湖南之門戶也；一曰武昌，江漢之水所由合，四衝爭戰之地，東南數省之關鍵所在；一曰九江，江西之門戶。此四處，皆賊與我死力相爭之地。今九江與賊相持，而賊又上據武昌，長江四處要害已失兩處。欲制九江之命，必由武昌而下，欲破武昌，必由崇、通而入。今潤芝軍駐蔴城、黃安一帶，鶴人兵在黃陂、孝感，均未制賊之要害。依我之見，須由江西增援勁旅，從崇陽、通城進入湖北，配合潤芝、鶴人三路夾擊，則武昌可復。

而江西境內亦同時攻九江、湖口，大局庶有轉機。若不主動出擊，待石逆從湖北回師，則江西勢更危迫。」

說罷，兩隻戴著墨鏡的眼睛緊緊盯著曾國藩。曾國藩暗思，羅澤南的這番話不錯，但眼下江西能調得出人馬嗎？

「仁兄說得有理，但哪有人馬進湖北呢？」

羅澤南立刻接話：「這就是我到南康來與你相商的大事。我思來想去，當前唯有我率領在義寧的三千人馬去才行。」

「你去？」曾國藩驚訝地說，「塔智亭剛去世，周鳳山實際上統不了九江軍。次青平江勇只兩千人，溫甫的那幾營才募集不久，不能挑大樑，江西靠的正是仁兄的這支人馬。仁兄若率之入鄂，江西的力量不要說再打九江、湖口，就是應付長毛，亦感費力了。你不能去，實在要去，次青帶平江勇去吧。」

「滌生，若真的要早日收復武昌，就不能讓次青去。倘若次青敗在石逆之手，反而增加逆賊的氣焰。我還有一個顧慮，不知你想到沒有？」

「你是怕潤芝、鶴人不是石逆的對手？」

「不是。潤芝富有謀略，鶴人亦勇猛善戰，估計石逆亦難輕易取勝。我是想，石逆兵力已到咸寧、蒲圻，他們很可能會再犯湖南。」

羅澤南看到曾國藩手中的茶杯微微動了一下。

「滌生，若石逆再犯湖南，季高、璞山匆忙之間，勢必難以堵住。這批無父無君的匪盜，什麼事幹不出？湘勇這兩年和他們結下了血海深仇，他們會饒得過將士們家中的親人嗎？」

曾國藩心裏打了一個冷顫。石達開進湖南，第一個要攻打的必是荷葉塘，第一批要殺的必是自己的老父稚子，第一批要刨的必是自己的祖墳！

「倘若湖南有個風吹草動，」羅澤南說，「湘勇必定軍心動搖。所以澤南此番入鄂，當分軍兩路，一攻武昌，一扼通城、蒲圻，決不讓長毛一兵一卒再犯湖南。」

曾國藩想了一下，說：「三千人馬不可再分，要麼集中攻武昌，要麼集中扼鄂南。不過，兵機瞬息萬變，進湖北後再相機行事吧。」

羅澤南連夜趕回義寧。塔齊布死了，羅澤南又要走，曾國藩心裏感到一種從未有過的空虛，一連幾天，心緒不寧。這天午後，人報劉蓉病重，臥床不起，曾國藩聞訊急忙趕到劉蓉的身邊。只見劉蓉閉目躺在床上，面有戚容。曾國藩摸摸劉蓉的額頭，體溫正常，看看室內，陳設整齊。想起前兩天，劉蓉說要告個假，回湘鄉省母的事，曾國藩心裏明白了。塔死羅走，軍機不順，曾國藩幾乎天天要跟劉蓉商量大事，怎麼能走呢？他對老朋友此刻的這種想法很不高興。曾國藩深知劉蓉的爲人，遂坐在他的床頭，一邊輕輕地撫摸著劉蓉的臉，一邊以眞摯悲愴的聲調說：「梅九，梅九，你可千萬不能走哇，你能甘心讓我當歐陽子嗎？」

一連說了幾遍，劉蓉終於忍不住笑起來，掀被坐起，責備道：「滌生，人家心亂如麻，你還有心開玩笑。」

原來，這裏有個典故，除曾、劉二人外，別人都不知道。那還是他們相識不久的時候，二人都自負文章好。曾國藩有次戲言：我倆好比歐陽修與梅堯臣。劉蓉說：那誰是永叔，誰是聖俞？二人都要當歐陽修，不願屈爲梅堯臣。最後曾國藩說：歐陽修後死，梅堯臣先亡。以後我們二人，誰後死誰是歐陽修。劉蓉同意。想不到二十年後，曾國藩還記得這個故事，在目前軍機不順的時候，還有這份閒心情。

「孟容，你心思亂，你知不知道，我的心思比你還亂？這個時候，你能忍心抛下我回湘鄉過逍遙日子嗎？」

劉蓉心軟了，但並不鬆口，說：「你是朝廷重臣，你有責任，我是你的私人朋友，我沒有責任，我想走就走，沒有我，自然繼續有人爲你辦事。」

曾國藩心裏想，莫不是劉蓉對至今還是一個候補知府銜有意見，或是對前途失去信心？他說：「你回家省母是大事，我怎能不同意，況且又不是一去不回。只是我不能須臾無你在身旁，今日有難同當，來日有福同享。一聽你要走，我的方寸已亂，想寫首詩送給你，都感到難以成句了。」

「那好吧，你就寫首詩給我吧，若寫得好，我就不走了。」

「你定要回家，我的詩即使寫得再好，你也不會說好，如何評判呢？」

劉蓉想了想說：「這好辦，我看後笑了就算好，不笑不算好。」

「說話算數。」

「我什麼時候說過空話？」

曾國藩背著手在屋裏踱來踱去，一刻鐘後，他走到書案前，揮筆寫了一首詩，遞給劉蓉：

「你看吧！」

劉蓉看時，却是一首寶塔詩，輕聲唸道：

「蝦。豆芽。芝蔴粑。飯菜不差。爹媽笑哈哈。新媳婦回娘家。親朋圍桌齊坐下。姑爺一見肺都氣炸。衆人不解轉眼齊望他。原來駝背細頸滿臉坑窪。」

劉蓉不動聲色，曾國藩在一旁有點著急，摒住氣，不敢作聲。隔一會兒，只見劉蓉的頭點了兩下，終於噗哧一聲笑出聲來。

「好，笑了，笑了！」曾國藩孩子似地樂了起來。

「滌生，你把你們荷葉塘罵新姑爺的俚語拿來逗我。」

「管他俚語也罷，村言也罷，你笑了就好！」

「我再給你續兩句吧！」劉蓉提筆在後面再補下兩句：「滌生詩才大有長進眞堪誇。劉蓉認輸留在軍營蒔竹栽花。」

「妙，妙！孟容，你眞是誠信君子。」

離開劉蓉回到書房，曾國藩沉思起來。從劉蓉告假一事上，他終於明白了羅澤南離贛赴鄂的眞正用心。原來他們都對江西戰局失去了信心，功名心重的羅澤南要到湖北去建功立業，功名心不太重的劉蓉則想及早抽身回籍。曾國藩情緒低沈，不斷地問自己，我在江西眞的就陷入了困境嗎？

七 樟樹鎮受辱，石達開三敗曾國藩

不久，咸豐帝實授曾國藩爲兵部右侍郎，仍在江西督辦軍務，其職由沈兆霖兼署。這道任命並沒有改變曾國藩在江西孤懸客位的局面，各府縣聽的是巡撫、兩司的命令，並不買兵部堂官的帳。前幾天，曾國華派人來訴苦，說手下一哨長因公夜行，被新昌縣當長毛拿獲。曾國華拿著蓋有「欽差兵部右侍郎關防」的公文去交涉，竟被新昌縣令置之不理，還說以前的公文蓋的都是「欽差兵部侍郎銜前禮部侍郎關防」，爲何又變了，曾大人到底是個什麼官？弄得曾國華啼笑皆非。曾國藩窩著一肚子氣，又無法發作。到頭來，還得動用文俊的巡撫大印才放了那個哨長。彭壽頤也來訴苦，說厘金日漸減少，卡丁一天到晚盡受氣，被打死活埋的事屢有發生。曾國藩苦惱極了，沒有銀子，這支龐大的軍隊如何生存打仗？

「銀子的事，還有辦法可想。」郭崇燾的父、叔都經過商，到底於此見得多些。他見曾國藩一天到晚爲餉銀事愁眉苦臉，出主意說，「我爲你跑一趟杭州，游說浙撫何桂清，要他支援三萬引浙鹽。這三萬引浙鹽在江西推銷，估計可獲利十萬兩銀子。另外，還可向朝廷陳說困難，請朝廷從上海關稅中撥一批餉銀來。上海商賈雲集，貨物山積，銀子多得像水一樣，分出十萬八萬應無問題。」

曾國藩認爲這兩個主意都很好，立即委派郭崇燾去杭州，又奏請朝廷速撥十萬上海關稅銀子，以濟湘勇燃眉之急，並提名由蘇州知府袁芳瑛專辦。又派人送家信至湘鄉，要九弟國荃在原募勇丁基礎上擴大一倍，從醴陵一路入贛，以塡補羅澤南去後的空缺。正當曾國藩爲擺脫經濟、軍事困境而多方措力的時候太平天國翼王石達開和他的戰友們又在謀劃一場大的行動了。

石達開兵進湖北後，一路勢如破竹，鄂東南的州縣幾乎全被太平軍克復。羅澤南入鄂後，自己帶一支人馬直向武昌奔去，他想以奇兵衝進武昌，奪下收復武昌的首功。另分偏師由李續賓統帶，扼住蒲圻一帶，防太平軍南下。石達開放開大路，讓羅澤南長驅直入。他的策略是關門打狗，放羅澤南進來，然後再和韋俊、胡以晃聯合起來，南北夾攻，全殲羅澤南軍。

「殿下，卑職有一個不同的想法。」因埋伏湖口截擊李孟羣舢板有功，被越級提拔爲中軍總制的康祿對石達開說。

「小兄弟有何想法？」石達開很喜歡藝高心靈的康祿，雖然他比康祿只大得兩歲，但在石達開的高級僚屬中，康祿和陳玉成一樣，畢竟是屬於年紀最小的一批，故石達開常稱他和陳玉成爲小兄弟。

「殿下，南北合擊羅澤南的主意很好，但卑職以爲，韋國宗等在武昌防守堅固，羅澤南好比鷄蛋碰石頭，不足爲慮。現在倒是曾妖頭在江西的老巢，却因塔齊布死、羅澤南走而空虛。卑職聽說，曾國藩驕而無能，周鳳山勇而無謀，李元度優柔寡斷，彭玉麟內湖水師陷在鄱陽湖。曾妖在江西，已是勢孤力弱。此時我軍不如返旆回贛，乘機一鼓搗毀湘妖老巢，活捉妖頭曾國藩。」

石達開極爲讚賞康祿這個主意，神不知鬼不覺地率師翻越幕阜山，以迅雷不及掩耳之勢，一舉攻克義寧州。三四天之內，便接連拿下新昌、萬載、上高等縣，曾國華被迫東逃。消息傳到南昌，文俊大驚，飛馬請曾國藩派勇抵擋。曾國藩調周鳳山率駐竹林店的五千人馬，先往瑞州遏制，自己協助曾國華整頓潰勇，隨後跟上。就在趕赴瑞州的路上，又聽到一連串的不利消息：石達開在江西天地會大龍頭周培春的配合下，相繼攻下臨江府、袁州府十餘州縣，才上任的按察使周玉衡及吉安知府陳宗元被擊斃於吉安，翼王旗已插上了贛南名城吉安城樓。

曾國藩帶領周部、華部兩支人馬七千餘人，來到離臨江府五十里遠的樟樹鎮，吩咐就地駐營。周鳳山、曾國華不解。曾國藩說：「樟樹鎮西近瑞、臨，東接撫、建，爲贛江沿岸重鎮，省城咽喉。石逆兵力今集中在吉安府一帶，料近日內必率師北上進犯南昌，水陸兩軍都必經樟樹鎮。我軍在此安營紮寨，以逸待勞，必可取勝。」

周鳳山、曾國華都贊同這個分析。曾國藩又火速派人通知彭玉麟率內湖水師出青嵐湖，由武陽水過三江口鎮，駛進贛江，南下到樟樹鎮集結，與長毛在樟樹鎮決一死戰。

幾天後，康祿帶中軍來到永泰市。探馬報，曾妖頭親率七千陸師駐紮在樟樹鎮、橫梁、藊溪一帶。康祿命令紮營，等候翼王來到。次日，石達開帶領殿右一指揮賴浴新趕到了。賴浴新打仗最是勇猛，湘勇恨他怕他，稱他爲賴剝皮。

石達開策馬查看樟樹鎮的地勢。只見這一帶除一道贛江外，盡是起伏不定的黃土丘陵，南面接著百丈峯的尾部。此地兩旁是山，中間一條大路。時爲早春，雨水未至，山上的樹木枯乾，似乎堆放了滿山遇火即著的乾柴。石達開看在眼裏，心裏有了主意，對賴浴新、康祿說：「曾妖頭打仗，從來不親上戰場，只躲在後邊營寨裏。上場交戰的是周鳳山、曾國華，這兩個草包求勝心切，當可利用。」

康祿說：「適才隨翼王查看地勢，我想百丈峯麓那片乾樹林，是天賜我們的有利條件。」

「好放火！」賴浴新一語點破。

石達開和康祿都笑起來。達開說：「我們都一起想到了。就在此地火燒湘妖。不過。周鳳山、曾國華再是草包，也會防這一著，得想一個辦法誘他們上鈎。」

翼王、總制、指揮三人細細考慮著。

第二天黎明，康祿帶二千人來到樟樹鎮搦戰。康福在曾國藩身邊，看著弟弟身著龍袍鳳盔，神采飛揚地騎在高頭大馬上，心裏很爲弟弟高興，想到骨肉相殘，又頓覺悲涼起來。曾國藩命周鳳山、曾國華帶三千人前去應戰。曾國華對周鳳山說：「你在正面應付他們，我從側面衝他們的後隊。」

說罷，帶著一千五百人與周鳳山分道而行。

康祿拍馬上前，與周鳳山交戰，戰了十餘回合，便漸漸不支，周鳳山暗暗高興，越戰越有勁。正在這時，曾國華從後面殺出，兩支軍隊前後夾攻。康祿抵擋不住，打馬向東衝去，二千人馬潰不成軍，紛紛將身上背的東西丟下，奪路而逃。湘勇多時沒有打過勝仗了，見丟在路旁的包袱、什物，個個眼紅，慌忙來搶。打開一看，盡是金銀珠寶，喜得咧嘴大笑。曾國華提醒周鳳山：「爲何長毛丟下這麼多值錢的東西，此中有詐。」

周鳳山說：「六爺過慮了。長毛竊來的財寶，不隨身帶，放到哪裏？打敗了，只得忍痛丟下逃命。」

曾國華見康祿帶兵遠遠逃去，不像是設下的圈套，便不再制止，讓手下的勇丁你爭我奪搶個飽。晚上，周鳳山對曾國藩說：「看來石逆還在吉安沒來，領頭的小賊是個無用的傢伙。」

曾國藩也一直未見有翼王字樣的旗號，心想：正好趁石逆未來之前殲滅這股敵人，鼓舞已久衰竭的士氣。當晚將周鳳山和六弟著實稱讚一番。

隔天，康祿又來挑戰。嘗足甜頭的湘勇個個奮勇，人人爭先，康祿邊戰邊退，慢慢地將周鳳山、曾國華引到百丈峯腳，太平軍紛紛丟下身上的東西，朝樹林中逃去。湘勇見又有東西可撿，無不高興，先頭部隊不知不覺地進了樹林。周鳳山和曾國華剛進林子，便有親兵來報，說前面路邊豎起了十來幅大畫，全畫的是曾大人。周鳳山、曾國華好生奇怪，驅馬進了樹林。行不到幾丈遠，果然見前面豎起好些牌牌。這些牌牌約有五尺見方，釘在木樁上。牌上糊著白紙，紙上畫著圖畫。周、曾二人看時，第一幅畫的是一把大刀，攔腰砍斷一條大莽蛇。旁邊一行大字：刀砍癩皮蛇——曾妖頭！曾國華氣得七竅冒烟，在馬上大叫：「給我把這個牌子剁碎！」勇丁們一窩蜂上來，搗毀了這個牌。再向前走幾步，又是一塊牌，畫的是靖港投水：曾國藩披頭散髮，正從船艙狼狽跳向湘江。勇丁們不待吩咐，又一齊上前毀掉。原來，太平軍最喜畫畫，軍中有不少繪畫的人才。每到一處，周圍都貼滿了漫畫，一來作爲娛樂，二來借此鼓舞士氣。所以翼王定下這條計策，很快就有高手畫出了十來幅大畫來。全畫的曾國藩靖港、岳州、九江、湖口打敗仗的情景。數千湘勇都懷著好奇心，爭先恐後擠進樹林，一邊看，一邊搗毀，一邊議論，幾乎忘記是在打仗了。大家正在得意忘形之時，一騎飛進樹林，向周鳳山、曾國華傳令：

「曾大人有令，前面樹木密集，須防火攻，速速撤退！」

周鳳山、曾國華如夢方醒，急令撤退，但已來不及了。猛聽得一聲炮響，樹林中飛出無數條火蛇來。這些火蛇斜著向樹梢飛去，擦著樹枝便燃燒起來，落下後，又燃燒地上的枯枝敗葉。一剎那間，樹林中燒起無數堆烈火，劈劈啪啪，越燒越旺，濃烟升騰，火星四濺，把擠進林中的數千湘勇嚇得驚慌失措，四處亂竄，被踩死的不計其數。這時，林中到處插上了繡著斗大「石」字的翼王旗，周鳳山、曾國華才知石達開早已到了，勇丁們喪魂失魄，勇氣全失。周、曾指揮湘勇從來路上衝出去，劈頭看見虎目圓睜的賴浴新，心裏叫苦不已，不敢戀戰，倉皇奪路逃命。一萬太平軍將士從四面八方包圍過來，殺得湘勇鬼哭狼嚎，抱頭鼠竄，大片大片地跪下磕頭求饒。

在另一支路上，康祿率領五百輕騎直襲樟樹鎮湘勇老營。曾國藩知道前部慘敗，勇丁已無鬥志，便下令撤退，自己由康福、彭毓橘保護，向南昌方向逃去。康祿因在白楊坪見過曾國藩一面，便跟著騎在棗子馬背上的曾國藩死追不放，一邊高喊：「弟兄們，活捉騎紅馬的曾妖頭！」

康福聽見喊聲，知道是自己的弟弟在追，便緊隨曾國藩的左右，一步不離。康福深知弟弟飛鏢的厲害，從腰間抽出刀來，留心諦聽馬後的聲音。這時，康祿已甩掉後面的將士，獨自一人在前追趕曾國藩。曾國藩棗子馬的速度，是其他駿馬追不上的，身旁除康福外，也再無別人了。康祿在後面又喊起來：「曾妖頭，下馬投降，可以饒你一死！」

曾國藩將手中的馬鞭用力一抽，棗子馬發瘋似地向江邊小路奔去，康福緊緊跟在後面。江中水面上，遠遠地已見一隊船駛來。康祿怕曾國藩從江上逃走，便從鏢袋裏取出一支鏢來，運足氣力，向曾國藩的後背打去。康福聽到飛鏢的聲音，將腰刀向後一揮，只聽得「哐噹」一聲，飛鏢碰在腰刀上，迸出一星火花，一齊落在馬屁股下。康福知道一鏢不中，還有第二鏢飛來，急中生智，從自己的馬上一躍而起，跳到棗子馬上，坐在曾國藩的後面，回頭高喊：「兄弟，你哥哥康福在此！」

康祿正要打出第二鏢，聽得這聲喊，楞住了：果然是自己的親哥哥！這鏢怎能放？康祿手一軟，鏢掉到草叢中。棗子馬乘隙飛奔。船隊靠近了岸，曾國藩看到前頭大船甲板上站的正是水師統領彭玉麟，高喊：「雪琴救我！」

彭玉麟忙將船划過來，把曾國藩和康福接上船。船上水勇一齊朝岸上太平軍放炮，逼得康祿勒馬回頭。彭玉麟將潰勇收上船，張開風帆，順流向鄱陽湖開去。

船開出多時，曾國藩驚魂始定。他撫摸著康福的肩膀說：「今日多虧賢弟，否則，此時早已不在人世了。」

康福忙跪下說：「大人何出此言，這是大人的福氣。只是大人賜我的腰刀，不慎被飛鏢擊落，遺憾不已。」

「一把腰刀值什麼！」

「大人親手所賜，康福視它如同性命。」

曾國藩聽了，感動地說：「請起來，回南康後我再親手贈你一把。」

康福說聲：「謝大人」後，站了起來。

「價人」。曾國藩看著慢慢後退的房屋田陌，緩緩地說：「我在馬上聽你對後面的追賊高喊兄弟，那個追賊是你什麼人？」

康福見曾國藩的眼中閃過一絲陰冷的光，知道已不可隱瞞，便將弟弟的事告訴曾國藩，但有意隱去了白楊坪行刺一節。他想起在武昌親眼見到的剜目凌遲慘象，忽然毛骨悚然，再次跪下說：「大人，親兄弟淪為造反逆賊，作兄長的却不能使他改邪歸正，心中萬分痛苦。康祿不忠不孝，罪不容誅。望大人看康福薄面，有朝一日將康祿擒拿後，千萬容康福見一面，勸說他棄暗投明，為朝廷效力；若康祿不聽教誨，再殺不遲。」

曾國藩撫鬚瞇眼，半晌不語；良久，才慢慢地說：「良家子弟失身為賊，已是家中的敗類賊子，何況死心塌地為逆首賣命，即使剜目凌遲，亦不為過。不過，既然是你的胞弟，自當別論，且我亦愛他武藝高超，倘若肯棄暗投明，為國效力，本部堂不但不殺他，而且要重用他。你放心吧，日後遇到機會，一定要把兄弟勸說過來才是。」

康福忙說：「小人一定謹遵大人鈞命，勸說兄弟脫離賊窩，歸順朝廷。」

稍停一會，曾國藩自言自語地說：「那年在家，也遇到一個善用飛鏢的刺客，今番又是一個會使鏢的，我難道前世與鏢手結了仇？」

康福只當沒聽見，走進了船艙。船已到三江口，只見前鋒掉過船頭來報：「湖口逆賊白暉懷攔住了下游。」

彭玉麟怒氣沖沖地命令：「準備斷殺！」

「且慢！」曾國藩制止彭玉麟，「雪琴，陸師大敗，士氣低落，此刻不是打仗的時候，不如改道由贛江西下，暫住南昌，休整幾天再說。」

彭玉麟遵令指揮戰船改道復入贛江，直向南昌奔去。

曾國藩一行剛進南昌的第二天，石達開便率部將南昌團團包圍起來。南昌城裏，曾國藩和文俊、陸元良慌了手脚。曾國藩一面指揮城內軍隊死守，一面飛馬傳調鮑超、李元度火速來南昌救援。連日來，太平軍不斷向城內發射火箭、炮火，又四處挖地洞，綁雲梯，攻勢十分凌厲。李元度、鮑超的陸師和李孟羣的水師被堵在重圍外，不能入內。曾國藩每天登上城樓，看城外太平軍旌旗飄揚，人山人海，心膽俱碎。他決定立即把在湖北戰場上的羅澤南、李續賓部調回。剛把傳令的親兵打發出去，隨羅澤南出師湖北的參將劉騰鴻單騎衝進南昌城內，將一個意想不到的凶訊告訴曾國藩：初一日，羅澤南在武昌城下右額中彈，初八日死在軍營。曾國藩驚得目瞪口呆。劉騰鴻將羅澤南臨終前寫的信遞給曾國藩。上面寫著：

滌生仁兄大人左右：

二十餘年前，與兄相識於高嵋山下，即結骨肉之情。四年來，追隨兄創辦湘勇，賴兄之德識才力，湘勇復岳州，出洞庭，下武昌，奪田鎮，威播大江，名震寰宇。實指望與兄飲馬下關，全殲巨寇，使我大清中興；豈料中道分手，宏願未竟，悠悠蒼天，此恨曷極！猶記離贛時，兄再三叮囑：「君所部僅五千，賊衆常數萬，是可合不可分，分則不足以支大敵。」澤南此次敗，恰敗在分軍上。兄言在耳，追悔莫及。方今武昌未復，江西又危，正不知兵火何時能熄。澤南年已半百，死何足惜，事未了耳！迪庵忠貞之士，余部可命其統率，潤芝寬厚得衆，足可爲湖北之主。雪琴、厚庵、璞山，均世之英才，堪寄以大任。左季高，人中蛟龍，可爲百萬大軍統帥，不宜讓其久困湖南。澤南一生，自謂求學尚能刻苦，然學業未成，事業未就，愧見先祖於九泉。近年來與長毛作戰，亦有一點心得。今將遠別，願送與我兄：「亂極時站得住，才是有用之學。」萬語千言，難以傾訴，願仁兄爲國珍重。

曾國藩閱畢，淚如泉湧，哭道：「羅山大才，世所罕見，中道分手，乃我湘勇之大不幸，所遺諸言，自當謹記！」

傳令在南昌城爲羅澤南設靈堂，親自率衆吊唁。城外，石達開指揮太平軍攻城更急。城內到處是火堆，三街六市一片混亂。曾國藩强令五十歲以下、十五歲以上的男子全部上城抵抗，自己騎著棗子馬晝夜巡邏。他暗自下定決心，一旦城破，立即自刎，追隨塔齊布、羅澤南於地下。曾國藩把荊七叫到身邊：「倘若城破，你要設法逃出去。」又指著一個包袱說：「這裏包的是幾年來皇上的朱批、朝廷的命令及歷次奏稿及信函的副本，你要把它送到我的老家去，留給後世子孫觀看。」王荊七點頭答應。略停一會，又說：「南康衙門裏，有我平時積蓄的八百兩銀子，你把它帶回荷葉塘。事已危急，不能詳細作書，當爲你寫一字條。」

隨手拿來一張黃竹紙，匆匆寫了幾行字：

父親大人萬福金安：

兒已爲國盡忠。這八百兩銀子不是軍餉，乃兒之俸銀，今由荊七帶回，其中四百兩爲父親大人養老之用，四百兩爲紀澤娶親之資。請父親大人多多珍重。

男國藩跪稟

這夜，曾國藩將王世全所贈寶劍放在枕邊，以便隨時自裁。待到天黑時，城外炮聲漸漸稀落，勞累幾天幾夜，曾國藩一倒在床上，便呼呼入睡了。一覺醒來，文俊進來興奮地說：「長毛全撤了！」

曾國藩擦擦眼睛，見窗外紅日高掛，知不是夢。他忙登上城樓，只見二萬太平軍一個不留地走得無影無踪。他暗自詫異，却不知何故。各路援軍都已進得城來，曾國藩看著他們，恍如死而復生，感慨萬千地說：「前幾天聞春風之怒號，則寸心欲碎，見賊船之上駛，則繞屋彷徨，眞不料還有今日相逢之一天。」

曾國藩還沒有高興幾天，從東邊北邊又連連傳來豐城、進賢、安仁、萬年失守的消息。原來，向榮江南大營圍攻天京，石達開奉天王洪秀全之命，率部出江西，取道皖南返回天京解圍，故一夜之間全部撤離南昌。石達開走後，江西軍務先由翼貴丈黃玉昆、後由北王韋昌輝主持，相繼攻克撫州府和饒州府。到咸豐六年六月，江西十三府有九府掌握在太平軍手中，形成了一片比較鞏固的天國統治區。這九府是：九江、、臨江、袁州、吉安、撫州、建昌、瑞州、南康和饒州。曾國藩在江西處於危困的頂點。

八　在最困難的時期，曾氏兄弟密謀籌建曾家軍

曾國藩吸取過去在長沙與湖南官場不合的教訓，瞅著太平軍一個空隙，又把南康奪回來了，湘勇老營仍設在南康，盡量離官場中心遠一點。就在曾國藩接連吃敗仗的時候，九弟國荃卻乘著石達開大軍撤離江西的機會，一進江西，便攻占了安福縣。首次帶勇出省便攻下城池，這給一向心高志大、辦事果決的曾國荃以極大的信心，也給屢敗中的曾國藩帶來希望。他有許多

事要跟九弟商量，派人來到安福，叫國荃立即到南康去。

曾國荃今年三十二歲，除開眼睛細長和肩膀單瘦外，其他無一處不酷肖大哥。他十七歲時跟著父親進京，在大哥家一住三年，終因不能接受大哥嚴謹規範的家敎而回到荷葉塘。他渴望像大哥那樣年輕高中，步步高升，却又不能像大哥那樣刻苦攻讀，看著別人一個個進學中舉，升官發財，自己却一次又一次地落榜，急得兩眼發紅。二十七歲那年，好容易才中了個秀才。去年，湖南學使特意賞他一個優貢，曾麟書爲此在荷葉塘擺了三天酒慶賀。這個外表單薄文弱的書生，爲人辦事却異乎尋常地倔强凶狠。八歲那年，大哥曾國藩還未中秀才，曾家在荷葉塘並無權勢。國荃餵養的一隻心愛的小狗，被鄰家的牯牛踩死了，他失聲痛哭，從廚房裏拿了一把柴刀，背著人磨得鋒快。他持刀跑到鄰人家門口，聲言若不賠他的狗，就要殺死鄰人家的牛。鄰人不理睬他。他便坐在那人的門口，一坐就是一整天，任何人也拖不回。直到半夜，鄰人眞怕這個强伢子殺了他的牛，只好賠了一隻小狗罷休。這兩年，曾國荃眼睜睜地看到湘勇在外打勝仗，心裏早就羡慕死了，一再寫信給大哥，要到軍營來殺賊立功。自從大哥要他在家募勇後，便和國華一人招募一千勇丁，日夜勤練，決心拋掉四書五經，走上戰場立軍功之路。幾個月前，一則因爲妻子難產，二則見勇丁尚未練好，他有意暫不出山。這次進江西，曾國藩指示他改道援吉安。他以下吉安為由，將原一千勇丁和臨時擴招的一千勇丁改編為四營，分別命名為前、後、左、右營，都以吉字為頭，他覺得兆頭很好。果然給他碰上了好機會。太平軍安福守將韋有房是個粗魯貪杯的漢子，平時待兵士苛嚴。攻下安福後，他為了表示對兄弟們的獎賞，讓他們開懷痛飲三天，自己更是天天爛醉如泥。他只知道曾國藩的軍隊在北面，作夢也沒想到，曾國荃的吉字營從西邊攻來。吉字營的勇丁急著要發財，都猛衝猛打不怕死，城裏的守軍是人人兩腿軟綿綿，兩眼紅通通，交戰不到半個時辰，安福城便易了主。曾國荃將安福城裏一切可以動用的財產，全部賞給吉字營的弟兄們，自己一匹快馬，帶了幾個侍從，匆匆趕到南康。

又有兩年未見面了，今日見到首戰告捷的九弟，曾國藩喜不自勝，國華也聞訊趕來。吃過晚飯後，兄弟三人秉燭夜談，分外親切。

國荃將這次攻占安福的戰事，繪聲繪影地對兩個哥哥演說了一通。曾國藩邊聽邊驚訝不已，想不到九弟還是個將才！打虎還靠親兄弟。真正靠得住的，還是自己的親弟弟。日後再把國葆叫出來，自己運籌帷幄，三個弟弟各領一支軍隊，這不就是曾家軍了嗎？曾國藩將九弟著實稱讚了一番後說：「沅甫有識見，有一次信裏明白跟我說，現在湘勇主力是羅山的人，要盡早建立自己的嫡系。過去我總想，大家以誠相待．目的在剪滅長毛，管他誰的人都一樣，若在湘勇中建嫡系，便是自己先不誠了。這兩年，先是璞山瞞著我，叫兩個弟弟在湘鄉募勇，後又是次青公開提出擴大平江勇，連羅山那樣的志誠君子，也要率部離贛去鄂。雖說援鄂可以阻擋長毛進犯湖南，但我知羅山內心裏是怕跟著我困在江西，立不了功。我遍視湘勇諸將官，除雪琴外，人人心裏都有自己一把小算盤。眼下湘勇勢力還不大，日後勝仗打多了，諸將功勞大了，人馬擴充了，一定有尾大不掉的一天到來。」說罷，輕輕地嘆了一口氣。

沅甫說：「大哥顧慮的是。天下事，先下手爲强。現在羅山已死，璞山在湖南，羅山原來的一支人馬，就只有迪庵在湖北的那幾千人了。鮑超粗直，是大哥一手提拔的，諒必他日後不敢與大哥作對。周鳳山是綠營的人，不會跟我們始終一條心。依我看，塔提督留下的人，就乾脆讓春霆統帶算了。」

「鮑超雖無野心，但軍紀太差。」溫甫打斷沅甫的話，「春霆手下的人，大部分人强搶虜虐，爲非作歹，人馬交給他不行。」

「溫甫說得對，春霆只能爲將，不能爲帥。」曾國藩對此早已深思熟慮，現在見九弟出手不凡，遂下定最後決心，「周鳳山不能再當統領了，塔智亭的人分爲三支，分出二千人由鮑超統帶。春霆打仗勇敢，也能督促部下不怕死，病在軍紀差，縱容部屬搶竊，這大概也是春霆有意以此爲刺激。另一支劃給溫甫。加上這一支二千人，溫甫你有多少人了？」

「有三千五百多人。」

「好。日後再招募一些，有五千人就可以打大仗了。」

「另外還有一千五百餘人就給沅甫。沅甫加上這支人馬，也有三千五百人了，也慢慢發展到五千人。」

「不，大哥，攻下吉安後，我立即就回湘鄉募勇，吉字營明年就要達一萬人。」

沅甫的勃勃雄心，使曾國藩甚喜，說：「打下吉安後，你招一萬人可以，不過軍餉你要自己籌集，我手裏沒有那樣多銀子。」

「我自己有辦法，一切不要大哥操心。」曾國荃斬釘截鐵地答應。

「沅甫，你的長處是敢於任大事，不畏艱難，這自然是好的。但帶勇之事，千難萬難，日後困難還多得很，要慢慢磨練。你手下目前最缺的是營官，我送幾個好營官給你。」

沅甫很高興，問：「哪些人，最好要湘鄉人。」

曾國藩笑道：「豈止是湘鄉人，還是我們的親戚世誼哩！這幾年，我身邊有六個貼身親兵，我有意按營官的要求培養他們，他們也還爭氣，現在可以派他們作大用場了。彭毓橋、蕭慶衍、蕭啓江、江繼祖，過兩天都由沅甫帶去，前後左右，恰好四個營官。」

「謝謝大哥厚賜。」沅甫立即起身致謝。

溫甫說：「大哥也太偏心了，一下送四個，上次只送兩個給我。」

曾國藩笑道：「都是親弟弟，哪有偏心的道理。我身旁的人，除康福外，只要滿意的，再挑兩個去。兩雙對四個，一碗水端平。」

說著，兄弟三人都大笑起來。沅甫說：「六哥明年人馬也要擴大，至少也得一萬人，這些年來，日日夜夜巴望建功立業，出人頭地，現在是時候了，我們如果不能放開手脚，轟轟烈烈做一番事業，那就成了好龍的葉公。」

溫甫點頭說：「九弟好氣派，我何嘗不這樣想，只是大哥先前總不大贊成。」

曾國藩不語。沅甫繼續說：「現在大哥看清楚了，眞的要完成剿滅長毛的大業，還得靠我們自家親兄弟。四哥在家照顧家鄉田產，貞幹也讓他出來。我和六哥一人帶三萬，貞幹帶二萬，有八萬軍隊在我們兄弟手裏，其他什麼人都可不必指望。我擔保，憑著這八萬曾家軍，一定能輔佐大哥平定逆賊，建千古不滅之功勛。」

曾國藩望著慷慨激昂的九弟，眼中射出興奮的光芒。他多麼希望，當初從長沙殺出的湘勇將官，人人都是這樣痛痛快快地向他宣誓效忠啊！但可惜沒有一人！就是最可信賴的彭玉麟，也沒有這樣坦率地表白過。親兄弟到底是親兄弟，與外人就是不同。他慶幸二十餘年來，自己對諸弟的教育沒有白費。若把那些年代的教誨比作耕耘，那麼，現在就是收穫的時候了。爲著使兩個弟弟在最困難的時候堅定信心，曾國藩將近日收到的郭崇燾的密信拿了出來。郭崇燾從杭州寄來的信上說：「江寧城內，長毛內部爭權奪利，愈演愈烈，大有內訌之勢頭。」沅甫看完信，興奮得用手猛地一拍桌子，高聲喊道：「若眞如筠仙信上所說，那將是天助我也！」

曾國藩急於用手捂住他的口，輕聲說：「莫大喊大叫，軍中現在除我們兄弟三人外，無一人知道此事，你們務必不能洩露半個字。若露出風聲，軍營就會喪失鬥志，坐等大功告成。如這樣，反而自己害了自己，懂嗎？」

沅甫明白過來，很是敬佩大哥的謹愼有遠見。

「大哥」，隔一會，沅甫問：「有一事要請教你。俘虜的長毛如何處置，是不是都殺掉？」

「對長毛喊口號、貼布告，自然要講明投降不殺、脅從者釋放回籍的話，不過，」曾國藩輕鬆地說，「其實這兩年來，凡捉到的長毛，無論男女老少，一律剜目凌遲，無一例外。」

「剜目凌遲？」沅甫心微微一跳，「大哥，那也太殘酷了點，難道不可以少殺些嗎？」

曾國藩站起來，輕輕地一拍沅甫的肩膀，親切地說：「九弟，你還初離書房，沒有打過幾天仗，怪不得有此仁慈之念。我當初也和你一個樣。孟子說君子遠庖廚，讀書人連殺羊殺牛都不忍看，豈能親手操刀殺人？但現在我們已不是書齋裏的文人，而是帶勇的將官。既已帶兵，自以殺賊爲志，何必以多殺人爲忌？又何必以殺人方式爲忌？長毛之多虜多殺，流毒南紀，天父天兄之教，天王翼王之官，雖使周孔生於今日，亦斷無不力謀誅滅之理。既謀誅滅，斷無不多殺狠殺之理。望弟收起往日書生的仁慈惻隱之心，多殺長毛，早建大功，做一個頂天立地的眞男子。」沅甫點頭，牢牢記住了大哥這番教導。

談了大半夜國事，兄弟三人又扯到家事。曾國藩問：「沅甫，你剛從家裏來，我問你一件事。」

「什麼事？」看到大哥一臉正色，沅甫猜想一定問的是大事。

「去年年底，我寫信要各位老弟代我將衡州五馬冲的一百畝水田退掉，不知現在退了沒有？」

「早退了。」沅甫聽問的是這麼一件小事，心想，這也值得如此認眞！遂不經意地說，「大哥還掛著那件事！接到大哥的信後不久就退了。四哥也是一番好心，說大哥在外帶兵，顧不得家事，我們把大哥寄回的錢買點田放在這裏，今後也好為侄兒們謀點家業。五馬冲的田，還是請歐陽老先生去看的，田蠻好。」

「退了就好。澄侯及各位老弟的心意我領受了。紀澤母子在家，承大家照顧，大哥心裏已很感激，還要買什麼田呢？父親與叔父至今未分家，老班兄弟尚且怡怡一堂，哪有大哥自置私田之理！此風一開，將來澄侯必置產於暮下，溫甫必置產於大步橋，沅甫、季洪必各置產於中沙、紫甸數處，將來子孫必有輕棄祖居而移徙外家者。」

說到這裏，曾國藩臉色嚴峻，溫、沅也斂容恭聽。

「昔祖父在時，每譏人家好積私產者為將敗之徵，又常譏駝五爹開口便言水口，達六爹開口便言桂花樹，想諸弟亦熟聞之。你們嫂子女流不明大義，紀澤年幼無知，全仗諸弟教訓，引入正大一路，若引之於鄙私一路，則將來計較錙銖，局量日窄，難以挽回。子孫之貧富各有命定。命果應富，雖無私產必亦有飯吃；命果應貧，雖有私產多於五馬冲十倍百倍，亦仍歸於無飯可吃。大哥我閱歷數十年，於人世之窮通得失思之爛熟。」

溫甫、沅甫見大哥說得道理凜然，深為佩服，說：「大哥教導的是。」

「家業之興與敗，全在勤、敬二字上。能勤能敬，雖亂世亦有興旺氣象，一身能勤能敬，雖愚人亦有賢智風味。祖父在生時留給我們八字家訓，這幾年，你們都照辦了嗎？」

「祖父留下的考、寶、早、掃、書、蔬、魚、豬八字，雖不能樣樣都辦得好，但在父親督促下，人人都不敢忘。」沅甫答道。

曾國藩感嘆地說：「祖父有過人之智能，只是生不逢時罷了。即就這八字而言，一家奉之，一家興旺，家家奉之，國泰民安。」

說到這裏，沅甫想起紀澤、紀鴻各有一封給父親的信，連忙拿了出來。曾國藩見八歲的紀鴻也能寫幾句通順的話來，心裏甚是喜歡，看了紀澤的信後說：「這孩子新近完婚，還望祖父和各位叔父嚴加督教。父親當年完婚亦係十八歲，滿月即就外傅讀書，紀澤上繩祖武，亦宜速就外傅，不能虛度光陰。新婦是貴家小姐出身，未習勞苦，若過門後要遵我家風，教以勤儉恭謹，紡績以事縫紉，下廚以議酒食，孝敬以奉長上，溫和以待同輩。這些都是婦道之要。我要寫信給紀澤，以後新婦和女兒們，每人每年要親手給我做一雙鞋，做幾樣醃菜送來，看看誰做得好。」

沅甫笑道：「老輩妯娌正是這樣做的。」

說著從包裏將歐陽夫人及四個弟婦所做的六雙鞋、六雙襪子，歐陽夫人單獨做的兩套衣服取出，國藩一一收下。第二天，溫甫帶著本部人馬奔瑞州，沅甫則帶著彭毓橘等人回安福，準備進攻吉安。曾國藩把其他營的餉銀壓下來，給兩個弟弟一人十萬兩銀子。

郭崇燾所聽到的傳聞，終於變成千眞萬確的事實。咸豐六年七月二十二日，太平天國丙辰六年七月十六日，楊秀淸在天京金龍殿公開威逼洪秀全封他爲萬歲，剛烈自負的洪秀全豈能受此挑釁，密令正在江西戰場上的北王韋昌輝、蘇南戰場上的燕王秦日綱和湖北戰場上的翼王石達開，回京制楊護駕。淸曆八月初四日，天曆七月二十七日凌晨，韋昌輝和秦日綱帶兵衝進東王府，把楊秀淸和他的家人及王府侍從全部殺盡。爲剪除楊的黨羽，韋、秦又行苦肉計，詭稱天王降旨，嚴責殺戮過多，願自受杖刑四百。楊秀淸部下五千多人，放下軍械前來觀看，待楊部全部進入兩座預先準備好的空屋後，韋、秦士卒將兩座屋包圍，五千赤手空拳的將士，一個不剩地被殺掉。待到這五千武裝人員被戮以後，楊部其他人便束手就擒。三個月裏，天京城裏血流成河，屍積如山，楊秀淸部二萬餘人同歸浩劫，連嬰兒都不能倖免，演出了中國歷史上空前未有的一幕內訌慘劇！天朝人心惶惶，幾於崩潰。石達開急速從武昌趕回，嚴斥韋昌輝滅絕人性的凶暴行爲。韋昌輝大怒，布置兵丁欲殺石達開。達開連夜縋城出走。韋遂殺石全家。石達開在安慶起兵靖難，請天王殺韋以正國法，平民憤。洪秀全聯絡朝中各官，將韋昌輝誅殺。這場亙古未有的農民起義軍內部自相殘殺的悲劇發生後，清廷朝野上下，莫不深感意外，他們相信這是天助聖清，長毛必滅。咸豐帝立即任命江南提督和春爲欽差大臣，接辦七月間在丹陽自殺的向榮的軍務，和幫辦江南軍務的張國梁一起，重建江南大營。尤其是處在湖北、江西、安徽、、江蘇、浙江前線的清將官兵勇，如同看到步步進逼的敵營忽然瘟疫疾行，頓失戰鬥力，紛紛慶賀自己死裏逃生。乘此機會，胡林翼率部再克武昌，李續賓、楊載福率水陸二軍沿江東下，連克興國、大冶、蘄州、蘄水、廣濟、黃梅，陳師九江城下。這期間，李元度攻克宜黃、崇仁、鮑超攻下靖安、安義，周鳳山率新從湖南募來的勇丁攻下分宜、袁州，曾國華攻下武寧、瑞州，曾國荃攻下安福，李續宜攻下瑞昌、德安。江西局面對湘勇來說略有好轉，但太平軍的力量仍很强大。十三個府城還有七個控制在太平軍手中，林啓容雄踞九江，屢挫圍師。這個江西戰場上衆望所歸的將領，將各路人馬團結在自己的周圍，忍受著天京內訌的巨大悲痛，依然頑强地對付著湘勇的進攻。曾國藩並沒有從危困中解脫出來。

一日，劉蓉對曾國藩說：「林啓容初爲楊秀清部下，由楊一手提拔。今楊逆被殺，林逆心中一定懷怨，攻城不破，可以轉而攻心。滌生作書一封陳說利害規勸，事或可爲。」

曾國藩說：「《襄陽記》上說得好，用兵之道，攻心爲上，攻城爲下，心戰爲上，兵戰爲下。不是你提醒，差點忘了這個不易之道。只是這下書人，找誰爲好呢？」

曾國藩話音剛落，一人朗聲應道：「若恩師信得過，學生願當下書人。」

曾國藩轉臉望見說話之人，心中甚爲滿意。

九　鄒半孔出賣奇計

原來說話的人，正是彭壽頤。他走前一步，說：「壽頤蒙恩師重用，並無尺寸之功。前錯用趙有聲，幾給恩師帶來大麻煩，學生前去九江下書，以贖前愆。」

曾國藩說：「林啓容是賊中死黨，不一定能被言辭所動，你此去或有不測風險。」

彭壽頤說：「大不了一死耳！學生幼讀詩書，粗知大義，殺身成仁，正志士之歸宿。」

曾國藩撫著壽頤的肩膀親切地說：「江西讀書人都如足下，長毛不足懼。」曾國藩當即修書一封。彭壽頤帶著信，飛馬出了南康城。在九江城外見過李續賓後，隻身來到永和門外。守城衛兵攔住，喝道：「哪裏來的淸妖！」

彭壽頤答：「我受曾部堂之命，從南康來到此地，要面見林將軍，將曾部堂的信交給他。」

衞兵搜遍彭壽頤全身，除一封信外，並不見任何東西，便用黑布蒙住他的雙眼，將他帶到貞天侯衙門。衞兵稟過以後，林啓容傳令帶見。衞兵去掉黑布，彭壽頤走進大堂，只見堂上正中端坐著一位面孔黧黑、五官端正的年青將領，他料想此人必是林啓容無疑，便上前一步，雙手作揖：「萬載舉人彭壽頤叩見林將軍。」

林啓容把彭壽頤看了半晌，然後問：「你是清妖舉人，我是天國上將，我們之間水火不容，你來見我作甚？」

「我奉曾部堂將令，特來九江送親筆信一封給林將軍。」彭壽頤說罷，從身上取出信來，早有一個小兵下來接過信，交給林啓容。林啓容見信上寫著：

林啓容將軍麾下勛鑒：

蓋聞知幾爲哲人，識時爲俊傑，時危勢去而不覺悟，則爲下愚，徒爲智者之所鄙笑也。自洪秀全、楊秀清倡亂以來，蔓延十省，擄船數萬，自以爲橫行無敵。乃渡黃河者數十萬人，屠戮殆盡，片甲不返，匹馬不歸，而軍勢頓衰。本部堂辦理水師，分布湖北、江西，燒毀逆舟，截具糧源，而軍勢更衰。至今年七月，韋昌輝誅殺楊秀清，凡東嗣君及楊氏家族官屬，斬殺無遺。石達開自武昌歸去，幾不免於殺害，而後洪秀全又殺韋昌輝。金陵內變，而軍勢於是乎大衰。想林將軍亦深知之而深恨之，痛哭而無可如何也。

本部堂前在九江時，統率水陸環攻潯城，林將軍兵單糧少，堅守不屈。本部堂嘉爾有强固之志。守軍拔營之後，爾未嘗毒殺百姓，本部堂嘉爾無殃民之罪。爾林將軍亦可謂一傑出者矣。昔者統領爾黨、懾服衆心者，楊秀清也；能知將軍用將軍者，楊秀清也。今楊氏既誅，誰能統領而服衆乎？誰能知爾用爾乎？爾與石達開皆楊氏之黨，韋黨必思所以除，此爾目前之患也。本部堂嘉爾有一節之可取，特諭招降。爾能剃髮投誠，立功贖罪，奏明皇上，當以張國梁之例待之。可以保身首，可以獲官爵，並可誅戮韋黨，以快私仇。爲禍爲福，在爾一心決之。熟思吾言，無遺後悔，或願或否，速行稟覆。

林啓容看完，冷笑著。他有心揶揄幾句，便問彭壽頤：「聽說你家大帥渾身生著蛇皮癬，每天晚上要四個女人輪流給他搔癢，才能入睡，是眞的嗎？」

堂上一陣哄笑。彭壽頤雖惱怒，却不敢發作，說：「將軍不要聽信謠傳，曾部堂身邊並無一個女人，所患牛皮癬，近亦痊癒。」

「你不要爲你家大帥遮醜了，他是個有名的僞君子。他想憑這一張紙就要我交出九江城，像張國梁那樣認賊作父，眞是白日作夢！」

堂上一片肅然，剛才嬉笑的場面已消失得無影無踪，彷彿根本不曾出現過似的。

「曾國藩是我的手下敗將，你回去告訴他，要他好好回憶一下，從那年羅澤南在南昌城外打敗仗算起，一直到今天，他和他的嘍囉們在我手下奔逃過幾次了？」

林啓容威嚴的聲音使彭壽頤的心怦怦亂跳。他自思到九江來，只是送封書信而已，信送到了，任務也就完成了，千萬不要再多說一句話，萬一哪句話說歪，惹怒了這個殺人不眨眼的魔王，腦袋立即就會搬家。想到這裏，他覺得就是剛才為曾國藩辯護的話也不應該說。他下決心再不開口。

「你回去告訴曾國藩，不要為天京城裏的事高興得太早了，江西大部分城池還在我們手裏，聖兵還有十萬之衆，只要我一聲令下，什麼時候都可以取曾國藩的頭。」

林啓容將曾國藩的信撕得粉碎，從堂上擲下，喝道：「滾吧！」

彭壽頤抱頭鼠竄，恨不得一步跨出九江城。

「慢著！」林啓容拖長聲音叫道。彭壽頤驚恐地站住，忐忑不安。「你回去怎麼向你家的大帥交差呢？曾國藩會相信你到過九江城嗎？來呀，弟兄們。」

只聽見兩個親兵高聲答應一聲，走上前來，彭壽頤嚇得面如死灰。

「為讓曾國藩相信這個彭舉人送到了書信，割下他一隻耳朵為證！」

彭壽頣渾身亂抖，一個親兵拿著一把明晃晃的牛耳尖刀過來，另一親兵拿出一個瓷盤，彭壽頣早已癱在地上，任憑他們擺布。那親兵提起彭壽頣的右耳，只輕輕一劃，一隻耳朵掉進瓷盤。彭壽頣慘叫一聲，捂著右邊臉踉蹌跑出大堂。

當曾國藩看到失去了一隻耳朵的彭壽頣，聽完他沮喪的稟告後，勃然大怒。劉蓉也為自己的失策而慚愧。這時，康福進來稟告：「大人，大門外有人貼了一張紅紙條，上寫『奇計出賣，價格面議』八個大字，旁邊尚有一行小字，『問計者請到狀元街灰土巷找鄒半孔』。門人覺得好笑，特揭下送了進來。」

說著將紅條遞上去。曾國藩看了一眼，扔在桌子上。彭壽頣說：「這鄒半孔莫不是個瘋子！」

曾國藩又拿起紅紙條，細細地欣賞一番，然後緩緩地說：「康福，你帶一頂轎到狀元街去一趟，把鄒半孔接來，我要當面向他問計。」

康福領命，騎著馬，帶著兩個轎夫，一頂空轎，一路尋問，來到狀元街灰土巷。在一間破敗低矮的舊屋裏，找到了鄒半孔。此人五十歲左右，留著稀稀疏疏的山羊鬍，高高瘦瘦的，面孔蠟黃，衣衫不整，一看便知是個落魄的文人。康福不敢怠慢，恭恭敬敬地說：「曾大人派我來接先生前去面商奇計。」

鄒半孔並不謙讓，搖著一把紙扇上了轎。轎子抬進僯門二門，曾國藩已在花廳等候了。鄒半孔搶著上前一步，跪下說：「學生鄒半孔叩見。」

曾國藩忙扶起，說：「先生免禮。」

鄒半孔坐下，王荊七端過茶來。曾國藩將鄒半孔仔細端祥一番後，問：「先生貴庚幾何？」

鄒半孔答：「學生今年四十有九。」說完，又伸出幾個指頭比劃著，露出很不自然的笑容來，坐在凳子上，手脚不知如何放。曾國藩見此人舉止神態有點猥猥瑣瑣，心中不甚歡喜。

「平日在家治何經典？」

「學生不治經典，平生喜愛的是稗官野史。」

「此人不是正經讀書人。」曾國藩心想。接著又問：「也讀兵書嗎？」

「最愛讀兵書。」鄒半孔得意地回答。

「先生常讀哪些兵書？」

「學生第一愛讀的兵書是《三國演義》。」

曾國藩一聽，雙眉緊皺。曾國藩最不喜歡的書便是《三國演義》，認爲它純粹胡編瞎扯，何況《三國演義》也不是兵書。鄒半孔沒有注意曾國藩臉上的變化，勁頭十足地說：「《三國演義》是歷朝歷代最好的兵書，書中的計策學不完，用不盡。孔明是最好的軍師，學生最佩服他，故改名爲半孔，希望做半個孔明。」

曾國藩心裏冷笑，眞是一個不自量的人。

「先生說有奇計出賣，請問賣的是何奇計？」

鄒半孔洋洋自得地說：「聽說大人幾次攻打九江不利，學生在旁一直爲大人思索良策。那日重讀空城計，突然大悟，思得一妙計，因見不到大人，故貼紅條相告。」

曾國藩認眞地聽著，不知他葫蘆裏賣的是什麼藥。

鄒半孔眉飛色舞地說下去：「我想，大人也可以學孔明來個空城計，將南康城內人馬全部撤出，埋伏在四面八方，派一小股人去九江，將林啓容引進南康，然後伏兵出動。這樣，林啓容也捉了，九江也破了。」

康福在一旁忍俊不止，曾國藩這時才眞正明白，來者乃是一個心裏不明白的人，便有意逗弄他：「鄒先生，倘若林啓容不出九江，此計不成呢？」

鄒半孔瞪大眼睛，捫著腦門想了半天，忽然大聲說：「有了。大人，你可以在軍中找一個丹鳳眼、臥蠶眉、面如重棗的人，化裝成關雲長，要他領著兵馬去打九江。長毛最怕關帝爺，關爺一去，九江必下。」

「哈哈哈！」曾國藩終於忍不住大笑起來。

鄒半孔不明白曾國藩笑什麼，挺認眞地說：「大人手下上萬名將士，一定可以找到一個和關爺長相差不多的人。若大人信得過，鄒某願代大人到軍中一個個查看。」

曾國藩站起來，笑著說：「好！先生獻的果然是好計。荊七，拿十兩銀子來酬謝鄒先生。」說罷，拱手與鄒半孔道別，進了內屋。康福跟著進來說：「大人，這個姓鄒的不是呆子便是騙子，你何必白白送他十兩銀子，還要遭人譏笑。」

「價人，你知道古人千金買馬骨，築台自隗始的故事嗎？我今日對鄒半孔這樣的人尚待之以禮，眞有才能的人必會挾長來就了。」康福半信半疑地點了頭。果然不出所料，第二天，第三天，曾國藩衙門便來了十餘起人。有獻八面圍城計的，有獻裏應外合計的，有獻掘濠引江計的，也有獻反間計的。曾國藩反覆權衡，覺得掘濠引長江水斷絕城內城外聯繫，將林啓容困死在城內的計策最爲穩當可行，便指令李續賓遵行。但行之半月，並無成效。掘濠的兵勇一個個被太平軍殺死在濠邊，濠溝未成，兵勇倒死了不少。曾國藩一籌莫展。恰在這時，摺差送來一份兵部火票，又把曾國藩拋進憂愁之中。

十　大冶最憎金踴躍，哪容世界有奇材

兵部火票遞的是軍機大臣的字寄，抄錄關於上海厘金的上諭：

前因曾國藩奏請在上海抽取厘金，接濟江西軍餉等情，當諭令怡良等體察情形具奏。茲據奏稱，江蘇軍需局用款浩繁，專賴抽厘濟餉，未能分撥江西。且上海地雜華夷，該地方官紳年餘以來，辦理尚能相安。若再行派員辦理，實多窒礙。所奏自係實情。所有上海厘金只可留作蘇省經費。曾國藩所請飭調袁芳瑛專辦抽厘以濟江西軍餉之處，著無庸議。

曾國藩讀完這道上諭，心裏涼了半截。調撥上海厘金，並由袁芳瑛專辦的如意計劃，竟遭到兩江總督怡良的斷然拒絕。

「怡良可惡！」曾國藩在心裏狠狠地罵道。如今朝廷，居然這般軟弱，怡良說不給就不給。

曾國藩想，這種事在宣宗時代是決不可能發生的。哎！今日之情勢，眞要辦事，非得要有督撫

實權不可！隨便在哪個省當個巡撫，供應二萬勇丁都不成問題，何來向人乞食這副狼狽像。曾國藩在房間裏踱來踱去，心中充滿委屈。這時，門被輕輕推開。

「哎呀！筠仙，你幾時回來的！」正在爲軍餉擔憂的曾國藩，一眼瞥見從杭州運鹽回來的郭崇燾，彷彿見到趙公元帥一樣高興。

「剛到南康，就來向你交差了。」

幾個月的勞累奔波，郭崇燾顯然黑瘦多了。曾國藩親切地說：「這趟差使辛苦你了，看瘦成這個樣子。」

按照待老友的慣例，曾國藩親手爲郭崇燾泡了一杯浮梁茶。

「瘦一點不打緊，事情沒辦好。」郭崇燾滿臉倦容。

「三萬引鹽如數運到廣信，你爲軍營立了大功，怎說沒辦好呢？」曾國藩知道郭崇燾一向不講客氣話，這中間必有難處。

「滌生，現在世道人心都壞了。國家遭大難，本應和衷共濟，共拯危難，其實大謬不然。」郭崇燾很氣憤，「一到浙江，先是巡撫何桂清高低不肯撥，說是浙江也是受長毛蹂躪區，不能承擔八萬軍餉的義務。幸而不久戶部下來公文，他只好勉强接受。派去辦理的各級官吏層層盤剝，弄得百姓怨聲載道，知道是要運到江西充軍餉，都罵你沒良心。」

「愚民無知，就讓他罵去吧！」曾國藩苦笑道，「自出山辦團練以來，我也不知挨過多少無端的咒罵了。」

「好容易運進江西，在玉山解開幾包準備食用時，發現上當了。」

「怎麼啦？」曾國藩驚訝地問。

「鹽裏摻了觀音土。一包鹽一百斤，至少有十斤觀音土。」

「這批混蛋！」曾國藩脫口罵道。

「這倒也罷了。」郭崇燾繼續說：「原擬每引鹽可售價二十五兩，除去成本和各項開支外，在廣信一帶出售，每引可賺四兩多。誰知每引只能賣到二十兩左右，幾乎賺不到錢。」

「這是什麼原因？」曾國藩感到事情嚴重了，淨賺十萬兩的計劃豈不要落空！

「後來一打聽，近來大批走私淮鹽正在出售，價格也在每引十九、二十兩之間，有的還便宜些。」

「三令五申嚴禁私鹽，爲何沒有堵住？」曾國藩氣得站起來，在屋裏走來走去。

「江西的州縣，不是你這個兵部侍郎所能管得了的。你可能還不知道，那些從安徽賊區買淮鹽的私販，幾乎個個都有官府作靠山。走私鹽是州縣官吏的一大財路，他們會眞正地禁止嗎？據說，」郭崇燾走到曾國藩身邊，小聲說，「藩司陸元烺、署理鹽法道南昌知府史致諤就是最大的走私犯。」

「筠仙，你有確鑿根據嗎？」曾國藩轉過臉，咄咄逼人地問，「如果有，我即刻上奏彈劾。這班人，簡直是國之巨蠹！」

「確證當然有。不過你可以彈劾一個陸元烺，彈劾一個史致諤，你能彈劾掉全江西的官吏嗎？世道人心已壞，整個風氣已壞，是根本無法扭轉的。」

曾國藩長長地嘆了口氣，不再作聲。他覺得自己已走在荊天棘地之中，前面是張開血盆大口的虎豹豺狼，這似乎還好對付些，而身後及左右的蚊蟲蛇蠍、刺叢陷阱，卻無力制裁防範。他咬緊牙關，狠狠地吐出一句話：「如果有朝一日我當了兩江總督，我要把這些腐敗傢伙全部清除！」

「滌生，我這次來一則向你交差，二則向你辭行。」

「怎麼！你也要離開軍營？」曾國藩深感突兀。

「我已服闋，理應回京供職，明日我即離開南康，先回湘陰安置一下，然後再北上。」

「江西局面仍在危困之中，你再幫我一把吧！」曾國藩實在不願意郭崇燾離開。

「滌生，按我們的交情，我是應該留在這裏幫幫你的，但這次辦理鹽務，辦得我心灰意冷了。我想，我們大清帝國怕眞的要亡了。不是亡在長毛手裏，而是亡在自己人手裏。我這次在杭州，看到了一本介紹英國國情的書，夷人有許多長處值得我們學習。我眞想到英國去親眼看看。」

「夷人的確有許多東西比我們好，就拿他們造的船和炮來說，就强過我們百倍不止。你幫我平定長毛，大功告成後，我向皇上奏明，保你出洋考察如何？」

郭崇燾苦笑說：「我不過說說而已，你就抓住這點和我做起交易來了。這幾年的辛苦奔波，也使我煩膩了。你是知道的，我這個人最耐不得煩膩，你還是讓我到翰林院去過幾天淸閒日子吧！」

曾國藩知不可挽留，說：「明天我和孟容爲你置酒餞行。」

郭崇燾見曾國藩答應了，反覺過意不去，他深情地望著曾國藩，說：「滌生，你頑强堅毅，定會做出大事業來。我稟性柔弱，在這方面不能望你項背。剛才所說的，我自思也過於灰心了。有志者事竟成，國事也並非就到了不可收拾的地步。明天我要走了，今天我要送你幾句肺腑之言。」

曾國藩也頗爲動感情地說：「賢弟請講。」

「你若像我這樣，不在地方辦事，又不帶勇剿賊則罷，倘若指望辦成大事，剿滅逆賊，你有些作法要改。」

「旁觀者清。我哪些地方做得不對，你就直言不諱吧！」曾國藩已感受到郭崇燾的一片眞心。

「第一，要聯絡好地方文武，不要總是站在與他們爲敵的地位，當妥協處則妥協。常言說得好，強龍不壓地頭蛇。第二，越俎代庖之事不能再做，費力不討好，反招怨敵。第三，要利用綠營的力量，不要再單槍匹馬地幹。若做到這三點，許多事情會辦得好些。」

「筠仙，你這三點的確是金玉良言。今後是要按你的意見辦，否則弄得焦頭爛額，最後還是一事無成。」曾國藩說到這裏，想起江西局面的困危，眼眶潮潤了。

第二天，曾國藩請來劉蓉，一同爲郭崇燾送行。曾國藩拿出一幅字來，對郭崇燾說：「賢弟要走了，我無物可贈，心緒煩亂，亦無佳作，現錄十六年前舊作，權當爲賢弟送別。」

郭崇燾接過來看時，寫的是四首七律，題作《寄郭筠仙之浙江四首》：

一病多勞勤護持，嗟君此別太匆匆。
二三知己天涯隔，强半光陰道路中。
兔走會須營窟穴，鴻飛原不計西東。
讀書識字爲何益？贏得行踪似轉蓬。

其二

碣石逶迤起陣雲，樓船羽檄日紛紛。
螳螂竟欲擋車轍，髖髀安能抗釜斤？
但解終童陳策略，已聞王歙立功勛。
如今旅夢應安穩，早絕天驕蕩海氛。

其三

無窮志願付因循，彈指人間三十春。
一局楸枰虞變幻，百圍梁棟藉輪囷。
蒼茫獨立時懷古，艱苦新嘗識保身。
自愧太倉縻好爵，故交數輩尚清貧。

其四

向晚嚴霜破屋寒，娟娟纖月倚檐端。
自翻行篋殷勤覓，苦索家書輾轉看。
宦海情懷蟬翼薄，離人心緒蠶絲團。
更憐吳會飄零客，紙帳孤燈坐夜闌。

錄道光二十年舊作爲郭筠仙送行，咸豐六年冬於南康軍營

郭崇燾接過這幅字，看著上面剛勁挺拔的字迹，往事浮上心頭。那是曾國藩大病初癒時，郭崇燾應浙江學政羅文俊之聘離京入浙，也似今日，曾國藩在寓所爲他置酒餞行，後來又將這四首詩寫在信裏寄給他。郭崇燾想：滌生今日把這四首詩重新抄給我，是不是暗責我在困難時離他而去呢？他心裏懷著一絲歉意。

「滌生，我到京城住兩年就回來。」似乎是爲了表示自己的慚愧，郭崇燾說出這句言不由衷的話。

「筠仙，你的性格才情，宜在翰苑，而不宜在軍旅。你回京是件好事，今後若不是別有緣故，也不必再到軍中來。你爲我在京聯絡京官感情，了解朝中大事，勤寫信來，就是幫我大忙了

，或許比在軍中起的作用還大。」

劉蓉說：「剛才滌生提起聯絡京官感情，了解朝中大事，倒使我想起一件事，不知二位知道不？」

「什麼事？」曾國藩心中有一種莫名的不祥預感。

「前幾天，文中丞府裏的袁巡捕到南康來清點湘勇在營人數。」

「文俊又不按人頭發餉銀，他憑什麼來管我的人多人少？」曾國藩打斷劉蓉的話。

「袁巡捕說，大軍在江西，地方招待不好，文中丞準備給兄弟們發點禮，故來點一下人數。」

「這裏頭有蹊蹺。」郭崇燾說。

「我也覺得不大對頭。袁巡捕又說不必跟曾侍郎說了，我便更加懷疑。於是留下他，客客氣氣地請他吃飯，乘他酒酣耳熱之時，我拿出一副象牙骨牌送給他。」

「你哪來的這種東西？」劉蓉一向規矩嚴謹，從不涉牌賭，曾國藩對他有骨牌感到奇怪。

「我哪裏有這種東西。」劉蓉笑著說：「這是春霆的戰利品，他要我給他保管，說金錢丟了不要緊，這東西不能丟，放在我這裏保險。」

「春霆就是愛賭愛喝酒，終究不是將帥之才。」郭崇燾一向不喜歡粗野的鮑超。

「我把這副象牙骨牌送給袁巡捕，他高興極了。」劉蓉不想議論鮑超，接著說：「我乘勢問他，省城近日對曾侍郎和湘勇有些什麼看法。姓袁的附在我耳邊悄悄說：『我前天聽文中丞和德音杭布在議論曾侍郎。』」

曾國藩兩眼盯著劉蓉那張已變粗黑的臉，心中有點七上八下。

「姓袁的講，德音杭布說，壽陽相國跟皇上提過，曾某人在江西一無成就，但勇丁却不斷增加，現在又叫一個弟弟招募幾千兵到江西來了。一家三口都帶兵，而且都集中在江西，這可不是一件好事呀！」

曾國藩聽到這裏，心裏一陣恐慌，手心滲出冷汗。

「又是那個祁老頭子在使壞，早就該致仕了，却總這樣戀棧，成事不足敗事有餘。」郭崇燾很憤怒。曾國藩兩條掃帚眉鎖成一條線，三角眼黯淡無光，嘴唇緊閉。

「姓袁的講，文中丞聽後說：『壽陽相國老成謀國，所慮的是。』文中丞還說，姓曾的剛愎冷酷，不能相處，陳子皋是他的同鄉同年，軍餉撥慢點，就下此毒手。跟此人共事，得處處提防，並要德音杭布注意點。德音杭布說姓曾的城府深，心思摸不到。我當時聽到這些胡說八道，直氣得發抖。心想，這分明是文俊、德音杭布和祁雋藻上下串通一氣，在算計我們。一旦有個風吹草動，他們就會第一個彈劾。」

「這一伙魍魅！」郭崇燾罵道。

屋子裏的空氣頓時緊張起來。良久，曾國藩長嘆一口氣，無力地說：「夕陽亭事，不久就會重演了。」

劉蓉心裏一緊。他後悔剛才不該一股腦兒把話都倒出來，引起曾國藩這樣大的傷感，便安慰道：「楊伯起生當亂世，又遭權貴所害，才弄得被迫自殺。今日天子聖明，祁壽陽雖然糊塗，究竟不是權奸，他與你個人無私怨，那年對你冒死直諫也很稱讚。我想他只是對你這幾年所做的事尚不甚了解，想到歷史上常有擁兵作亂的事，提醒皇上注意罷了。即使不是你，換成另外一個漢人，他也會有這種疑心的。」

曾國藩說：「孟容這話倒也不錯。雖然祁壽陽上次也在皇上面前說過我的壞話。不過，此人到底還不是耿寶一流人。」

「再說，皇上比漢安帝也英明百倍。」郭崇燾插話。

「是的。」劉蓉繼續說：「今後你事事注意點，一切小心謹慎，必可避禍趨吉，平安無事。」

「小心謹愼自是應該，不過，」曾國藩的緊張心緒已消除，代之而起的是極爲委屈的痛苦，「當世如祁相國這樣的人，學識才俱，二位都很清楚，頂多當個「平庸」二字，却天子信賴，羣僚擁戴，位高秩隆，身名俱泰，且這種人尙不只祁雋藻一人。咸豐二年，國藩乃一在籍侍郎，本可不與聞國事，只是想到兩朝恩重，斯文無辜，不忍心看鼎移賊手、孔孟受辱，才不自量力，以一書生募勇練團。實指望上下齊心，掃除凶醜。誰知在長沙時，飽起豹不容，靖港敗後，一片詬罵，湘勇進城者竟遭毒打。這兩年在江西，步步艱難，處處掣肘。在地方上受如此苦不說，還要在朝中遭無端猜忌。唉！虹貫荊卿之心，見者以爲淫氛而薄之；碧化萇弘之血，覽者以爲頑石而棄之。看來我死之日將不久矣。二位他日爲我寫墓志銘，如不能爲我一鳴此屈，九泉之下，永不瞑目。」

說罷，神情黯然，愴嘆久之。忽然，他離開酒席，走到書案邊，奮筆疾書。然後，對郭崇燾說：「剛才那幅字不要帶了，我另送你一首詩。」

郭崇燾和劉蓉接過看時，上面寫著：

送郭筠仙離營晉京

域中哀怨廣場開，屈子孤魂千百回。

幻想更無天可問，牢愁寧有地能埋。
夕陽亭畔有人泣，烈士壯心何日培？
大冶最憎金踴躍，那容世界有奇材！

郭崇燾嗟嘆，劉蓉飽噙淚水，三人望著冰冷的杯盤，再也無心吃下去了。突然，門外響起急促的腳步聲，曾國藩的心立即緊縮起來。

十一　重踏奔喪之路

「大人，瑞州緊急軍報！」康福一陣風似地進門來，將一封十萬火急請援書送到曾國藩手裏。這是曾國華從瑞州軍營裏派人送來的。原來，在湖北戰場上失利的羅大綱、周國虞率所部人馬，從湖北來到江西，將瑞州城團團包圍，揚言要攻下瑞州，千刀萬剮曾老六，以報昔日之仇。曾國華見城外太平軍人山人海，一時慌了手腳，火速派人請大哥救援。曾國藩對六弟遇事驚慌很不滿意，但又不能置之不管，若眞的瑞州城丟失了，六弟在湘勇中就站不起來。但眼下四處吃緊，哪方兵力都不能動。他想來想去，唯有李元度一軍可暫時移動一下。當曾國藩帶著李元度的二千人馬急急趕到瑞州城下時，羅大綱、周國虞已在先天下午撤走了。他們原本路過瑞州，只不過借此嚇嚇曾國華而已，並沒有眞打瑞州的意思。這場虛驚過後，曾國藩心裏更憂鬱了：江西長毛氣焰仍舊囂張，軍事毫無進展，銀錢陷於困境，一向被視爲奇才的六弟竟然如此平庸，自己與江西官場方枘圓鑿，今後如何辦？他遣李元度仍回南康，自己留在瑞州幫六弟一把。再不濟，也是自家兄弟，今後還得依靠他來當曾家軍的主將哩！

這天深夜，曾國藩跟六弟在書房談了大半夜帶勇制敵之道，正要就寢，康福來報：「蔣益澧在門外求見。」

「他怎麼來了？」曾國藩深爲奇怪，「快叫他進來。」

蔣益澧風塵樸樸地進得門來，向國藩、國華行了禮。曾國藩問：「薌泉，你不在南康侍候德音杭布，跑到這兒來幹什麼？」

「回稟大人，」蔣益澧恭恭敬敬地回答，「我不是從南康來，而是從南昌來。」

「德音杭布又到南昌去了？」

「是的。大人先天走，他第二天就要我收拾行李，陪他到了南昌。」

「他這樣迫不及待地到南昌去幹什麼？」曾國藩皺著眉，像是問蔣益澧，又像是自言自語。

「大人不知，」康福在一旁插嘴，「前些天，文中丞給他在胭脂巷買了一套房子，又用一千兩銀子在梨蕊院裏贖了一個妓女，那烟花女據說是豫章一枝花。他早就想到南昌去，只是礙著大人在那裏。」

「怪不得大哥一走，他就急急忙忙往南昌溜。」曾國華是曾氏五兄弟中對女色最有興趣的一個，家有一妻一妾，還時常在外面尋花問柳。對德音杭布的艷福，他甚是羨慕。

「康福，你怎麼知道得這樣淸楚？」曾國藩笑著問。

「我是從彭壽頤那裏聽說的，他早兩天到南昌去過一趟。」康福嘴邊露出詭秘的一笑。

曾國藩望著蔣益澧，打趣地說：「薌泉現在跟著這位滿大人，正好在花花世界裏享受一下，爲何深夜跑到這兒來？」

益澧紅著臉說：「我豈敢忘了大人的囑託，夤夜至此，有重要事情相告。」

衆人都收起笑容。荊七給益澧送來飯菜。坐了兩個時辰的快馬，又累又餓，蔣益澧不講客氣，狼吞虎咽地連吃了幾大碗飯。他抹抹嘴，對曾國藩說：「昨天夜晚，文中丞、陸藩台、耆臬台、史太守四人請德音杭布到南昌知府衙門喝酒。他有意不要我跟著，愈發引起我的懷疑。中途，我借送衣的機會進了衙門，偷偷地躲在屏風後面，聽他們談話。沒想到這些堂堂大員，酒席桌上談的全是美食和女人，我聽了大倒胃口。正想退出，忽聽得史致諤問德音杭布：『聽說曾侍郎準備給朝廷上摺，嚴令禁止淮鹽進入江西，德大人知道有這事嗎？』德音杭布說：『有這事。這次郭嵩燾從杭州販浙鹽虧了本，據說是因爲淮鹽入贛的緣故。』德音杭布說完後，酒席間沉默片刻。然後是陸元烺的聲音：『看來曾侍郎打算在江西長期呆下去。』只聽見德音杭布嘆了一口氣，說：「也是我的命苦，好好地在盛京，却被皇上派到軍營來受罪，也不知哪輩子作的孽。』耆齡說：『是的哩！有一個嬌滴滴的解語花，又不能天天陪著，還要趁人家離開南康的機會，急匆匆地來偸情，也眞可憐。』滿座哄堂大笑。」

「這些人，一說起女人來，就興致高得很。」康福鄙夷地說。

笑過之後，陸元烺說：「德大人要想帶如夫人回盛京享福亦不難。』德音杭布忙問：「陸大人有何法教我？定當重謝。』陸元烺壓低聲音說：『皇上要你來看著曾侍郎，曾侍郎不再辛苦了，你的差使不就完了嗎？』「正是的。但那個姓曾的倔强得很，任是怎麼打敗仗，怎麼碰壁，也是死不回頭。他如何肯離開軍營？』『曾侍郎自己當然不會離開，他親手創建的軍隊，他肯拱手讓給別人？若皇上不要他在軍營了，他還呆得住嗎？』這話像是提醒了德音杭布。略停一會，他說：『各位大人提供點材料，我給皇上上個摺子，話說得重點，讓皇上撤了他的督辦軍務的職，我便感激各位不盡。』」

曾國藩聽到這裏，臉皮繃得緊緊的，心裏罵道：「這個禍國殃民的德音杭布，不惜拿皇上的江山來換他個人的享樂，眞正可恥可惡至極！」口裏却不動聲色地問：「他們都編派些什麼？」

蔣益澧說：「我豎起耳朶聽，聽見他們在杯筷之中湊了這樣幾條：一是縱容部屬奸虐擄搶，學了鮑超一軍攻下靖安爲例。一是網羅一批痞子流氓無賴辦厘局，公開賣官鬻爵，學了夏鎭、呂倫爲例。」

曾國藩心噗通噗通地跳：這兩個例子都挨得上邊，眞的讓皇上知道，撤職查辦是完全可能的。

「這些鬼蜮！」曾國藩氣得一拳打在桌上，油燈也給掀翻了。荊七忙過來點燈。蔣益澧說：「更毒辣的還在後面。是陸元烺說的。這個老混蛋說：『我聽見幾個湘籍勇丁說，他們的曾大人誕生那天，老太公夢見一條龍從天上飛進曾府。曾大人是眞龍下凡，日後有天子福份。德大人，把這條也寫上去。或許今後眞正篡皇位的，不是長毛，而是曾國藩。』」

「砰」的一聲，曾國藩手中的茶杯掉在地上，打得粉碎，把大家都嚇了一大跳。只見他臉色煞白，幾乎昏蹶過去。曾國華忙過來扶起大哥，蔣益澧趕緊停住嘴。過一會兒，曾國藩恢復過來，又問：「他們還說了些什麼？」

蔣益澧說：「德音杭布聽後，高興地說：『行了，僅這一條，就可以置姓曾的於死地。』接著又是一片勸酒勸菜聲。我估計後面不會再有重要的東西了，也怕呆久了被人發覺，就悄悄地溜出來。今天下午，我便打馬來到瑞州。」

「你離開南昌，是怎麼跟他說的呢？」

「我說回南康取東西。」

「好！你今天太辛苦了，好好睡一覺，明晚吃過中飯就回南昌。」

「大人，」蔣益澧著急了，『這批惡棍眞是狠心狗肺，你就讓他們這樣上告皇上嗎？」

「曾國藩淡淡一笑：「他要告我，我有什麼辦法呢？你放心去睡覺，容我慢慢對付他。」

蔣益澧走後，曾國華氣憤地說：「大哥，不能由他們這樣誣陷你，要給他一點厲害瞧瞧。」

康福也說：「德音杭布是滿人，他果眞上這樣的摺子，對大人是極爲不利的。」

「豈只不利，殺頭滅門都不爲過。」曾國藩又是淡淡一笑，「前些年在湖南，鮑起豹、徐有壬、陶恩培他們雖不能容我，但尚不至於這般卑鄙陰毒。他們是明火執杖，表裏一致。這些惡魔，則是口蜜腹劍，笑裏藏刀，當面是人，背後是鬼。倘若不是薌泉聽到，豈不是死在他們手中，尚不知冤在哪裏！正是康福說的，他們五人中有三個滿人，且德音杭布又是皇上親自派來的，皇上自然會相信他們的話。」
康福說：「陸元烺以前比陳啓邁、惲光宸還客氣一點，現在何以變得這樣黑心？」
曾國藩說：「查淮鹽走私，查到他的致命處了。還有史致諤，原本也還馬馬虎虎過得去，我一查淮鹽，他就又怕又恨了。關鍵還是在於德音杭布身上。此人旣貪又蠢，爲了不在軍營吃苦，眞是不擇手段，這人終究會吃大虧的。文、陸正是利用他的愚蠢來達到自己的目的，他却一點都看不出，日後朝廷查出是誣告，懲辦的又是他，文、陸都會賴得乾乾淨淨。」
「大哥，量小非君子，無毒不丈夫。我看我們得先下手！」曾國華殺氣騰騰地走到大哥身邊。
「你說怎麼下手法？」曾國藩兩隻三角眼裏，射出冷氣逼人的凶光。
「殺掉德！」曾國華低低地但却是沉重地拋出三個字。
曾國藩望著六弟，兩把掃帚眉連成一條橫線，陰沉沉的臉上沒有一點表示。他抬起左手，慢慢地撫摸著垂在胸前的鬍鬚。康福神色莊重地說：「六爺說得對。德音杭布一死，那個摺子也就吹了，還爲我們湘勇拔去一個眼中釘。大人，這個任務就交給我吧！我會像捏死一隻蚊子一樣幹得乾淨俐落。」

曾國藩仍舊在撫摸著鬍鬚，彷彿那是一個智囊，可以給他以啓迪和智慧，又彷彿那是千軍萬馬，可以給他以勇氣和膽量。終於，他將鬍鬚向右邊一甩，霍地站起來，兩道陰森森的目光朝康福、曾國華掃了一眼，然後一言不發地走進臥室。這是一個經過反復考慮後而決定的殺人的信念，曾國藩身邊的人都清楚。

「六爺，我明早和薌泉一起去南昌，你看還有什麼要吩咐的。」康福摸了摸腰間的新腰刀問。曾國華沉思一會兒說：「你要耐著性子，尋一個好機會，最好讓他死在文俊、陸元烺的衙門裏。到時，我再要大哥給朝廷上個摺子，告他一個謀殺之罪，讓他們一世脫不了關係！」

康福、蔣益澧走後的第四天傍晚，文俊衙門的袁巡捕忽匆匆地來到瑞州，哭喪著臉對曾國藩說：「曾大人，德大人德音杭布昨夜被人暗殺了。」

曾國藩心中甚喜，臉上故作驚訝地問：「德大人在南康好好的，怎麼會被人暗殺呢？」

「德大人他，他不是死在南、南康，而是死在南、南昌。」袁巡捕一著急，說話就有點結巴。他有意慢點說，「德大人早在十多天前就到南昌來了。昨夜，文中丞請他來巡撫衙門議事。兩人在書房密談。一會兒，文中丞外出方便。回來一看，嚇了一大跳，德大人已倒在血泊中斷了氣。文中丞立時命人封鎖衙門，却找不到刺客的踪影，文中丞已下令四處嚴查。」

袁巡捕說到這裏，湊進曾國藩耳邊把聲音放低：「文中丞因德大人死在他的衙門裏，當時又無第三人在場，心裏有點怕，怕說不清楚。」

「幹得好，康福有心計。」曾國藩心裏想，口裏卻嚴峻地對袁巡捕說：「德大人是朝廷派來的留都郎中，聖祖爺的後裔，當今皇上的叔輩，就是本部堂亦敬慕他，兵凶戰危之地，從不讓他去。他住在南康，有一隊親兵專門保護，現在卻無緣無故地死在文中丞的衙門裏，又沒抓到刺客，叫我如何向朝廷交代！」

說罷，拿出手絹來擦眼睛。袁巡捕見狀，也只得陪著流淚，又結結巴巴地說：「文、文中丞自知保護不力，有負朝廷，故遣卑、卑職恭請大人到南昌商、商量，一起捉拿凶手歸、歸案。」

曾國藩冷冰冰地說：「瑞州軍務繁忙，我如何離得開！」

袁巡捕哀求道：「文中丞一再叮、叮囑卑職，務必請大、大人放駕。」

曾國藩心想，不去看來不行，今後朝廷追問起來，也不好回話。去呢，又有點心虛。他坐在椅子上，做出一副又哀又怒的樣子，讓心情慢慢平靜下來。他深恨自己膽氣薄弱，缺乏董卓、曹操那種亂世奸雄的稟賦。這事做得神鬼不知，天衣無縫，你怕什麼來？曾國藩經過這樣一番心理上的自責自慰後，膽子壯起來：「好！我明天和你同去南昌，一定要把這件事查個水落石出。」

袁巡捕慌忙鞠躬：「多謝曾大人！」

「大哥！」曾國藩正要叫人收拾行裝，準備明日啓程，忽見曾國華哭著進了門。

「什麼事？」堂堂五尺大漢，居然淚流滿面，豈不是膿包一得！曾國藩眞的有點看不起這六弟了。

「大哥。」曾國華經此一問，哭得更厲害，「父親大人去世了。」

「你說什麼？聽誰說的？」曾國藩猛地站起來，雙手死勁抓著六弟的肩膀問。

「四哥打發盛三送訃告來了。」

曾國藩手一鬆，癱倒在太師椅上，淚水從微閉的雙眼中無聲地流出來。好一陣子，他才睜開眼睜，輕輕地吩咐左右：「拿喪服來！」然後轉過臉，對袁巡捕說：「國藩遭大不幸，不能應命前往南昌，請代我多多向文中丞致意，務必請他早日緝拿凶手歸案，以慰德大人在天之靈。」

深夜，曾國藩從悲痛中甦醒過來。他前前後後冷冷靜靜地想了又想，如果說當年母親去世最不是時候的話，那麼父親不早不遲死在這個時刻，眞可謂恰到好處。目前局面，處處掣肘，硬著頭皮頂下去，日後會更困難，無故撒手不管，上下又都會不許，不如趁此機會擺脫這個困境，把這副爛攤子扔給江西，給朝廷一個難堪。這水陸二萬湘勇，除開他曾國藩，還有誰能指揮得下？到時，再與皇上討價還價不遲。曾國藩的心緒寧靜下來，他坐在書案邊，給皇上擬了一個《回籍奔父喪摺》：「微臣服官以來，二十餘年未得一日侍養親闈。前此母喪未周，墨経襄事；今茲父喪，未視含殮。而軍營數載，又功寡過多，在國為一毫無補之人，在家有百身莫贖之罪。瑞州去臣家不過十日程途，即日奔喪回籍。」他想起德音杭布之案，今日之境遇，是越早離開越好，決定不待皇上批覆，即封印回家。

咸豐七年二月二十一日，是個愁雲慘淡、天地晦暗的日子。早幾天氣溫和暖些，水邊的楊柳枝已吐出星星點點的嫩芽尖，這幾天又被呼嘯的北風將生命力凝固了，偶爾可看到的幾朵迎春花，也全部萎落在枯枝下。光禿禿的樹枝，在寒風中瑟瑟發抖。鳥兒不敢出來覓食，全部蜷縮在避風的窩裏，企望著艷陽天的到來。吃過中飯後，曾國藩告別前來瑞州送行的彭玉麟、楊載福和康福等文武官員僚屬，以及文俊專程派來吊唁的糧道李桓和瑞州城的知府、首縣等人，帶著六弟國華、九弟國荃、僕人荊七踏上回家奔喪的路途。

兄弟三人都不說一句話，默默地騎在馬上趕路。曾國藩的心更像滿天無邊無際的陰雲一樣，沉甸甸、緊巴巴地。他望著水瘦山寒、寂寥冷落的田野和馬蹄下狹窄乾裂、凹凸不平的千年古道，陷入了深深的悲哀之中。這悲哀不是爲了父親的死。父親壽過六十八歲，己身功名雖僅只一秀才，但兒子爲他請得一品誥封和皇上的三次賞賜，整個湘鄉縣，沒有第二人有如此殊榮。做父親的可以瞑目，做兒子的也對得起了。曾國藩悲哀的是他自己出山以來的處境。咸豐二年十二月出山以來，五年過去了，其中的艱難辛苦、屈辱創傷之多，正如眼前的錦江水一樣，傾不完，吐不盡。錦江水尚可以向人世間傾吐，自己肚子裏這一腔苦水，向誰去傾吐呢？「好漢打脫牙和血吞」，他也不願向別人傾吐。望著不見一隻航船的枯淺的錦江，他眼中出現了水面平靜的湘江和波濤起伏的長江。這兩條曾被他深情吟詠過的江河，差點兒吞沒了他的軀體。兩次投江，羞辱難洗，多少年後都將成爲子孫後世的笑柄。熱腔熱血，一顆忠心爲了收復皇上的江山，捍衞孔孟名教的尊嚴，却落得個皇上猜疑，地方排擠，四面碰壁，八方齟齬，幾陷於通國不容的境地。這幾年除了痛苦，得到了什麼呢？論官職，依舊只是個侍郎。江忠源帶勇，從署理知縣升到了巡撫。胡林翼帶勇，也從道員升到了巡撫。這倒也罷了。還有許多像陶恩培、文俊、耆齡一類人，心地又壞，才質又庸劣，也一個個加官晉爵，手握重權。天下事眞是太不公平了。但是，想想自己，他又不禁搖頭嘆氣。論功勞，武昌、漢陽、蘄州、田鎮，收復了又丟失，最後還是別人再奪回的。來江西兩年多，九江、湖口至今未下，長毛仍控制七府四十餘州縣，有何功勞可言！難道說長毛不能滅，大清不能興嗎？難道說今生就只配做一個書生，不能做李泌、裴度嗎？

不遠外的田徑上，一個農民牽了一頭羸弱的水牛在走著。看著這頭疲憊不堪的牛，曾國藩突然想起了衡州出兵那天，用來血祭的那頭牛。水牛漸漸地消失在薄暮中，看不見了。曾國藩低頭看著自己，猛然發現，這幾年來，自己明顯地瘦弱了。還不到五十歲，何以衰老得如此之快！腦子裏又浮現了石鼓嘴下的那頭牛，它即將斷氣，痛苦地抽搐著，兩隻榛色的眼球鼓鼓地望著蒼天。曾國藩奇怪地覺得，那頭牛彷彿就是他！

天色更暗，北風緊，黃昏來臨了。四周的山河、田地、房屋、道路慢慢模糊起來了。出路在哪裏？前途在哪裏？曾國藩無法預卜，只覺得眼前天昏地暗，心情萬般蒼涼。他現在什麼都不想了，也不要了，僅僅巴望著早點回到荷葉塘。他太疲倦了，他要在父親的墓旁靜靜地休息一段時期，然後，再將這幾年所經歷的一切，作一番細細的回顧。

（《血祭》卷終）

國家預行編目

曾國藩血祭／唐浩明著.--初版.--臺北縣中和市：
漢湘文化, 1993〔民 82〕
面；　公分.--（歷史經典；1-3）
ISBN　957-8753-03-9　（平裝）
857.7　　　　82002749

歷史經典三

曾國藩血祭・卷三（全書三卷——血祭、野焚、黑雨）

發 行 人／胡明威
作　　者／唐浩明
執行編輯／巫曉維
企劃印務／范揚松
行政祕書／余綺華　高伊姿
出 版 者／漢湘文化事業股份有限公司
台北縣中和市中山路二段三五〇號五樓
電話（02）22452239　傳真（02）22459154
E-mail:hanshian@mail.book4u.com.tw
郵撥帳號／1697754-9
户　　名／漢湘文化事業股份有限公司
電腦排版／陽明電腦排版公司
內文製版／俊昇印製事業股份有限公司
內文印刷／全力印刷有限公司
裝　　訂／吉翔裝訂印刷有限公司
電話（02）2962-7511
登 記 證／文聞・蔡兆誠・黃福雄・王玉楚律師
1993年4月初版一刷　2001年8月初版六刷
單本定價 160 元　套裝九本特價 1,250 元
本書透過中國湘普信息公司獲得國際中文繁體字版權

線上總代理◆華文網股份有限公司
網　　址◆http://www.book4u.com.tw
〔紙本書平台〕華文網網路書店
〔電子書平台〕Online Books 電子書中心　華文電子書中心
香港總經銷◆漢鴻圖書有限公司
香港九龍塘觀開源道 55 號開聯工業中心 A 座 1226
電話：002-852-2343-8466　傳真：002-852-2343-8440

總經銷
旭昇圖書有限公司
地址：台北縣中和市中山路二段 352 號 2F
電話：（02）2245-1480　傳真（02）2245-1479

廣　告　回　信
北區郵政管理局登記證 北　台　字6571號
免　貼　郵　票

漢湘文化事業股份有限公司

地址：台北縣中和市中山路二段350號5樓
電話：（02）2245-2239
傳眞：（02）2245-9154

姓名：

性別：　　男　　女

生日：　　年　　月　　日

電話：（　　）

傳眞：（　　）

地址：

請沿虛線剪下裝訂，謝謝！

讀者服務卡

謝謝您購買這本書。
爲加強對讀者的服務，請您詳細塡寫本卡各欄，寄回給我們（兎貼郵票），您即可收到本公司的出版訊息。

您購買的書名/ ______________________

購買地點/ ____________ 縣市 ____________ 書店

教育程度/□高中以下（含高中）　□大專　□大學　□研究所（含以上）

職　　業/ ____________ 職位別/ ____________

您目前迫切需要哪方面的知識？ ____________

您覺得本書封面及內文美工設計/

□很好　□好　□差　□很差

您對書籍的寫作是否有興趣？

□沒有　□有（我們會盡快與您聯絡）

100字書評（請寫下您閱讀本書的心得及感想）

其他建議（請列出本書的錯別字，當另外致贈精美禮品）：

漢湘文化
閱讀新視界・生活新主張

漢湘文化

閱讀新視界・生活新主張